# JOYCE MEYER

# A BATALHA PERTENCE AO SENHOR

*Superando as Dificuldades da Vida Com a Adoração*

# JOYCE MEYER

# A BATALHA PERTENCE AO SENHOR

*Superando as Dificuldades da Vida Com a Adoração*

1ª Edição

---

Edição publicada mediante acordo com FaithWords, New York, New York. Todos os direitos reservados.

**Diretor**
Lester Bello

**Autora**
Joyce Meyer

**Título Original**
The Battle Belongs to the Lord

**Tradução**
Maria Lucia Godde / Idiomas & Cia

**Revisão**
Idiomas & Cia / Silvia Calmon, Ana Lacerda,
Elizabeth Jany e Daiane Rosa

**Diagramação**
Julio Fado
Fernando Rezende (Direção de arte)

**Design capa (adaptação)**
Fernando Rezende

**Impressão e Acabamento**
Premiumgraf Serviços Gráficos

**BELLO**
PUBLICAÇÕES

Rua Vera Lúcia Pereira, 122
Bairro Goiânia - CEP 31.950-060
Belo Horizonte/MG - Brasil
contato@bellopublicacoes.com
www.bellopublicacoes.com.br

© 2002 por Joyce Meyer
Copyright desta edição
FaithWords
Hachette Book Group
New York, NY

Publicado pela
Bello Comércio e Publicações Ltda-ME
com a devida autorização de
Hachette Book Group e todos
os direitos reservados.

Primeira edição — Novembro de 2013
3ª Reimpressão — Fevereiro de 2018

Todos os direitos reservados. Nenhuma parte desta publicação poderá ser reproduzida, distribuída ou transmitida sob qualquer forma ou meio, ou armazenada em base de dados ou sistema de recuperação, sem a autorização prévia por escrito da editora.

Exceto em caso de indicação em contrário, todas as citações bíblicas foram extraídas da Bíblia Sagrada Nova Versão Internacional (NVI), 2000, Editora Vida. Outras versões utilizadas: AA (Almeida Atualizada, SBB) e RA (Almeida Revista e Atualizada, SBB). A versão AMP (*Amplified Bible*) foi traduzida do idioma inglês em função da inexistência de tradução no idioma português.

A autora enfatizou algumas palavras nas citações bíblicas colocando-as em itálico. Os itálicos não constam nas versões bíblicas originais.

---

CIP-BRASIL. CATALOGAÇÃO NA FONTE

      Meyer, Joyce
M612    A batalha pertence ao Senhor: superando as
      dificuldades da vida com a adoração / Joyce Meyer;
      tradução de Maria Lucia Godde / Idiomas & Cia. —
      Belo Horizonte: Bello Publicações, 2018.
      204p.
      Título original: The battle belongs to the Lord

ISBN: 978-85-61721-95-4

      1. Vida espiritual. 2. Adoração a Deus. 3. Auto
ajuda – Aspectos religiosos. I. Título.

CDD: 241.4            CDU: 241.513

# SUMÁRIO

**PARTE 1:** *A Batalha Pertence ao Senhor*     **7**

1. Fase 1 — Ouça Diretamente de Deus     **9**
2. Fase 2 — Admita a Sua Dependência de Deus     **21**
3. Fase 3 — Assuma a Sua Posição     **29**
4. Fase 4 — O Senhor Traz a Libertação     **45**

**PARTE 2:** *Transformado Pela Adoração*     **59**

5. Elias Permaneceu na Posição     **61**
6. Não Lute, Adore     **67**
7. Seja Transfigurado     **83**
8. Adoração e Oração     **93**
9. Adoração e Transformação     **111**
10. Adore a Deus com a Consciência Limpa     **119**
11. Transformação e Transfiguração     **129**
12. Continue a Contemplar e a Adorar     **143**
13. Deus é Por Nós!     **149**
14. Deus Proverá     **155**
15. Deus Está do Meu Lado!     **161**
16. Permaneça na Posição     **173**
17. Porque o Senhor Era com Ele     **181**
18. O Diabo Deseja o Mal, Mas Deus Deseja o Bem     **185**

Conclusão     **197**
Oração por um Relacionamento Pessoal com o Senhor     **199**
Notas     **201**

# PARTE 1

# A Batalha Pertence ao Senhor

**CAPÍTULO 1**

# Fase 1 — Ouça Diretamente de Deus

**Deus quer que sejamos** completamente livres do medo. Ele não quer que vivamos em tormento nem que o medo nos impeça de fazer com confiança o que Ele nos diz para fazer. Quando temos uma profunda compreensão do amor perfeito e incondicional de Deus por nós, percebemos que Ele sempre cuidará de tudo o que nos diz respeito — e esse conhecimento finalmente nos liberta do medo. Quando temos experiências com Deus e começamos a perceber que Ele sempre cuida de nós e supre as nossas necessidades, começamos a relaxar.

> No amor não há medo; ao contrário o perfeito amor expulsa o medo, porque o medo supõe castigo. Aquele que tem medo não está aperfeiçoado no amor.
>
> *1 João 4:18*

Deus se move em nosso favor quando nos concentramos nele em vez de pensarmos todo o tempo em nossos medos. O sentimento de medo ou os pensamentos temerosos são simplesmente tentativas do nosso inimigo, Satanás, de nos distrair, tirando o nosso

*Capítulo 1*

foco de Deus e da Sua vontade para as nossas vidas. Podemos sentir medo em vários momentos da vida, mas podemos optar por confiar em Deus e, se necessário, "agir apesar do medo".

Essa teoria de "agir apesar do medo" é algo que Deus me revelou há muitos anos. Percebi que quando o Senhor disse a Josué "não temas", como está registrado em Josué 1, Ele na verdade estava advertindo-o de que o medo tentaria paralisá-lo, mas em vez de deixar o medo controlá-lo, ele foi encorajado a ser forte e cheio de coragem e continuar seguindo em frente.

> Pois Deus não nos concedeu espírito de covardia, mas de poder, de amor e de equilíbrio.
>
> *2 Timóteo 1:7*

A qualquer momento em que os problemas surjam, o medo geralmente é a primeira coisa que sentimos. Satanás injeta pensamentos de "e se..." na nossa mente, e em geral começamos a imaginar o pior resultado possível. Quando isso acontece, nós logo deveríamos perceber o que está acontecendo — Satanás está tentando nos impedir de seguir adiante com a vontade de Deus e com o Seu bom plano para as nossas vidas.

Quando sentimos medo ou começamos a ter pensamentos atemorizantes, a primeira coisa que devemos fazer é orar. Costumo dizer: "Ore por tudo e não tenha medo de nada." Devemos nos dispor a buscar a Deus até sabermos que temos vitória emocional e mental sobre o espírito de temor. Quando buscamos a Deus, estamos focando nele em vez de focarmos em nossos medos. Nós o adoramos por quem Ele é e expressamos o nosso reconhecimento de Seu valor pelo bem que Ele fez, está fazendo e continuará a fazer.

Deus tem bênçãos e novas oportunidades reservadas para nós. Para recebê-las precisamos dar passos de fé. Em geral isso representa fazer coisas que não temos vontade de fazer ou nem

*Fase 1 — Ouça Diretamente de Deus*

sequer pensamos que irão funcionar, mas nossa confiança e reverência a Deus devem ser maiores do que aquilo que queremos, pensamos ou sentimos.

Vemos um exemplo perfeito desse princípio em Lucas Capítulo 5. Pedro e alguns dos outros discípulos de Jesus pescaram a noite inteira. Eles não apanharam nada; estavam cansados, realmente exaustos e precisavam dormir. Estou certa de que estavam famintos. Eles haviam acabado de lavar e guardar as redes, o que era um trabalho e tanto. Jesus apareceu na margem do lago e lhes disse que se quisessem apanhar um carregamento de peixe, deveriam lançar as redes novamente, só que desta vez em águas mais profundas. Pedro explicou ao Senhor que eles estavam exaustos; não haviam apanhado nada, mas mesmo assim disse: "Com base na tua palavra lançaremos as redes novamente." Esse é o tipo de atitude que o Senhor quer que tenhamos. Talvez não sintamos vontade de fazer alguma coisa; talvez não queiramos realizá-la; talvez não achemos que seja uma boa ideia; talvez sintamos medo de que nada disso funcione, mas devemos estar dispostos a obedecer a Deus e não aos nossos medos ou sentimentos.

O diabo tenta usar o medo em suas diversas formas para nos manter em águas rasas. Mas embora sintamos medo, precisamos concentrar a nossa atenção em Deus, e com base na Sua palavra devemos nos lançar em águas profundas para receber as bênçãos que Deus tem para nós.

> Depois disso, os moabitas e os amonitas, com alguns do meunitas, entraram em guerra contra Josafá.
>
> *2 Crônicas 20:1*

Os "itas" estão atrás de você? Nesta passagem, eram os moabitas, os amonitas e os meunitas que estavam atrás do Rei Josafá e do povo de Judá. Em outras passagens do Antigo Testamento,

*Capítulo 1*

eram os jebuseus, os hititas e os cananeus que ameaçavam o povo de Deus.

Mas no nosso caso, são os "medo-itas", os "doença-itas", os "pobreza-itas", os "divórcio-itas", os "estresse-itas", os "insegurança-itas", os "rejeição-itas" e daí por diante.

Quantos "itas" estão correndo atrás de você? Sejam eles quantos forem, vamos ver o que o Rei Josafá fez para voltar a sua atenção para Deus em vez de focar em todos esses "itas" que estavam tentando se levantar e governar.

## BUSQUE "UMA PALAVRA" DO SENHOR

> Então informaram a Josafá: "Um exército enorme vem contra ti de Edom, do outro lado do mar Morto. Já está em Hazazom-Tamar, isto é, En-Gedi." Alarmado, Josafá decidiu consultar o Senhor e proclamou um jejum em todo o reino de Judá.
>
> *2 Crônicas 20:2-3*

Quando Josafá soube que os "itas" estavam indo contra ele, a primeira coisa que ele fez foi temer. Mas depois fez outra coisa: ele se dispôs a buscar o Senhor. Determinado a ouvir a voz de Deus, ele até proclamou um jejum por toda a terra com esse mesmo propósito. Josafá sabia que precisava ouvir Deus. Ele precisava de um plano de batalha, e somente Deus podia lhe dar um plano que garantisse a vitória.

Devemos desenvolver o hábito de correr para Deus quando temos problemas em vez de correr para as pessoas. Devemos buscar Deus em vez de recorrer à nossa própria sabedoria ou à sabedoria de outras pessoas. Pergunte a si mesmo: "Quando os problemas surgirem devo correr para o telefone ou para o trono?" Deus pode nos dirigir a certa pessoa que nos aconselhe, mas devemos sempre ir ao Senhor em primeiro lugar para mostrar que o honramos e nele confiamos.

*Fase 1 — Ouça Diretamente de Deus*

A Fase I do plano de batalha de Deus é combater o medo ouvindo Deus. Romanos 10:17 nos ensina que "a fé vem pelo ouvir, e o ouvir pela palavra de Deus". Esse versículo não está se referindo à Palavra de Deus escrita, mas à Palavra de Deus falada. Ela se chama *rhema* na linguagem original do Novo Testamento, que é o grego. Em outras palavras, quando ouvimos Deus, a fé enche o nosso coração e dissipa o medo. Josafá sabia que tinha de ouvir Deus, e nós temos a mesma necessidade.

Deus pode falar de muitas maneiras. Ele pode colocar a paz no nosso interior; pode nos dar uma ideia criativa; pode acalmar as nossas emoções perturbadas ou nos dar segurança. Deus fala de modos diferentes, mas se o buscarmos, nós o encontraremos. Ele nos conduzirá e nos guiará se o reconhecermos em todos os nossos caminhos (Provérbios 3:5-6).

Todos que você conhece podem estar lhe dizendo para confiar em Deus, e você quer fazer isso, mas não sabe "como". Os medos estão gritando com você de forma ameaçadora. Seus amigos estão dizendo: "Tudo vai ficar bem", mas de alguma maneira parece que essas palavras não atingem o medo, até que Deus fala bem no fundo do seu coração e diz: "Você pode confiar em mim; eu cuidarei disto; tudo vai ficar bem."

Em 1989, fui ao médico para fazer um *checkup* de rotina. Ele descobriu um pequeno caroço em meu seio e quis que eu fizesse uma biópsia imediatamente. Fui fazer a biópsia achando que não seria nada, mas o resultado foi que eu tinha um tipo de câncer que crescia rapidamente, e uma cirurgia imediata era altamente recomendável.

Lembro-me de andar pelo corredor da minha casa e sentir o medo me atingir com tanta força que sentia que ia desabar. Meus joelhos realmente pareciam que iam se dobrar debaixo de mim. Todas as noites, quando ia me deitar, tinha dificuldade para adormecer. Mesmo quando eu dormia, não era um sono bom, sólido,

*Capítulo 1*

reparador; era um sono entrecortado. De tempos em tempos eu acordava, e ali estava o medo batendo na porta da minha mente.

A palavra "câncer" traz consigo um grande medo. Por mais que muitos dos membros de minha família ou dos meus amigos me dissessem que Deus cuidaria disso, eu ainda estava lutando contra o medo até que, em uma dessas noites, por volta das três horas da manhã, Deus falou no fundo do meu coração e disse: "Joyce, você pode confiar em mim." Depois disso, não senti mais aquele medo aterrorizante. Estava apreensiva enquanto esperava os resultados dos exames dos meus nódulos linfáticos para ver se eu precisaria continuar com o tratamento, mas tinha certeza de estar nas mãos de Deus e de que, independentemente do que estava para acontecer, Ele cuidaria de mim.

O resultado foi que não precisei de um novo tratamento. Realmente entendemos que por meio do diagnóstico precoce, Deus havia salvado a minha vida. Por fim, passei do medo à gratidão, e Satanás perdeu outra batalha.

## JOSAFÁ PRECISAVA OUVIR DEUS

Quando Josafá ouviu que um enorme exército estava se reunindo para atacar Judá, soube exatamente o que fazer. Ele precisava se dispor a buscar — não o conselho das pessoas como seus amigos, sua família ou seus conselheiros — mas buscar e ouvir Deus.

Josafá provavelmente já havia se envolvido em outras batalhas anteriormente — por que ele não podia simplesmente empregar alguns dos mesmos métodos usados por ele anteriormente? Não importa quantas vezes uma solução tenha funcionado no passado, ela pode não funcionar para resolver a crise atual a não ser que Deus coloque sua unção sobre ela novamente. Ele pode ungir um velho método, mas Ele também pode nos dar uma direção nova que nunca

*Fase 1 — Ouça Diretamente de Deus*

tivemos antes. Precisamos confiar em Deus e não nos métodos. Ele realmente usa os métodos, mas eles não têm poder algum a não ser que Deus esteja operando por intermédio deles. Não podemos focar nos métodos assim como não podemos focar no medo. O nosso foco, a nossa fonte de suprimento, deve estar em Deus e somente nele. Nossa resposta não está nos métodos, mas no nosso relacionamento com Deus.

> Ai dos que descem ao Egito em busca de ajuda, que contam com cavalos. Eles confiam na multidão dos seus carros e na grande força dos seus cavaleiros, mas não olham para o Santo de Israel, nem buscam a ajuda que vem do Senhor!
>
> *Isaías 31:1*

Nunca descobri exatamente o significado deste "Ai", mas sei que não quero ter nada a ver com ele. Este "Ai" obviamente é algo doloroso; tem a ver com problemas e infelicidade. Quando buscamos Deus temos paz e alegria, então por que escolheríamos o "ai" que resulta de buscarmos o mundo?

## A NECESSIDADE VITAL DE JOSAFÁ

Josafá sabia que se não ouvisse a voz de Deus, não conseguiria ter êxito. Essa necessidade era o que algumas versões da Bíblia chamam de sua "necessidade vital". Há algumas coisas sem as quais podemos passar, mas há outras que são vitais. Josafá sabia que ter a direção de Deus era vital.

Você pode estar em uma situação semelhante à de Josafá, podendo também precisar de uma palavra de Deus. Talvez sinta que, como um homem que está se afogando, você está afundando pela terceira vez. Você talvez precise desesperadamente de uma palavra pessoal do Senhor se quiser sobreviver.

*Capítulo 1*

Deus quer falar com você ainda mais do que simplesmente ouvi-lo. Busque-o oferecendo-lhe o seu tempo, e você não se decepcionará.

> E Judá se reuniu para buscar ao Senhor para ter a Sua ajuda, ansiando por Ele com todo o desejo do seu coração. Reuniu-se, pois, o povo, vindo de todas as cidades de Judá para buscar a ajuda do Senhor. Josafá levantou-se na assembleia de Judá e de Jerusalém, no templo do Senhor, na frente do pátio novo, e orou: Senhor, Deus dos nossos antepassados, não és tu o Deus que está nos céus? Tu dominas sobre todos os reinos do mundo. Força e poder estão em tuas mãos, e ninguém pode opor-se a ti.
>
> *2 Crônicas 20:4-6*

Josafá proclamou um jejum para mostrar a sua sinceridade para com Deus. Perder algumas refeições e dedicar esse tempo para buscar a Deus não é má ideia. Desligar a televisão e passar com Deus o tempo que você geralmente passaria assistindo a ela não é uma má ideia também. Do mesmo modo, ficar em casa algumas noites e passar um tempo extra com o Senhor em vez de sair com seus amigos e continuar repetindo seu problema para eles sem cessar. Todas essas coisas entre outras demonstram que sabemos que ouvir Deus é vital. Aprendi que a palavra *buscar* significa perseguir, desejar e correr atrás com toda a sua força. Em outras palavras, agimos como um homem faminto em busca de comida para nos mantermos vivos.

Gostaria também de acrescentar que precisamos buscar a Deus em todo o tempo, e não apenas quando estamos com problemas. Certa vez, Deus falou comigo que o motivo pelo qual tantas pessoas têm problemas o tempo todo era porque essa era a única maneira de elas buscarem o Senhor. Ele me mostrou que se retirasse os problemas, Ele não teria nenhum tempo com essas pessoas. Ele disse: "Busque-me como se você estivesse desesperado o tempo todo e então você não ficará desesperado com tanta frequência na sua vida real." Creio que este é um bom conselho, e recomendo firmemente que todos nós o sigamos.

## FALE COM DEUS SOBRE ELE

Em vez de apresentar o problema imediatamente ao Senhor, Josafá começou a falar com Deus sobre o quanto Ele é poderoso. Aquele homem escolheu concentrar sua atenção no Senhor em lugar de colocá-la no seu medo do problema.

> E orou: Senhor, Deus dos nossos antepassados, não és tu o Deus que está nos céus? Tu dominas sobre todos os reinos do mundo. Força e poder estão em tuas mãos, e ninguém pode opor-se a ti.
>
> *2 Crônicas 20:6*

Em vez de falar com Deus somente sobre os nossos problemas, precisamos falar com Ele sobre Ele mesmo. Precisamos falar com Deus sobre quem Ele é, sobre o poder do Seu nome e do sangue de Seu Filho Jesus, sobre as grandes coisas que sabemos que Ele pode realizar e já realizou. Depois de termos louvado e adorado o Senhor dessa maneira, então podemos começar a mencionar o problema. Eu não gostaria que meus filhos só viessem falar comigo quando estivessem com problemas, porque quero que eles tenham comunhão comigo.

Neste instante, posso me lembrar de algumas pessoas que só me telefonam quando estão com problemas, o que realmente me magoa. Sinto que elas não se importam de verdade comigo, mas só com o que querem que eu faça por elas. Estou certa de que você já passou por isso e sentiu o mesmo. Essas pessoas podem se chamar de amigas, mas na verdade não são. Amigos são para os momentos

*Capítulo 1*

difíceis, mas não é só para isso que eles são. Como amigos, precisamos demonstrar consideração e passar tempo encorajando aqueles com quem nos relacionamos. Precisamos evitar ser o tipo de pessoa que representa o que chamo de "recebedoras". Aquelas que recebem sempre, mas nunca dão.

Quero ser amiga de Deus. Ele chamou Abraão de Seu amigo, e eu também quero ser chamada assim. O Senhor não é apenas aquele que resolve os meus problemas. Ele é o meu tudo, e eu o amo mais do que sou capaz de expressar.

## "AGORA, SENHOR, CONTEMPLA O NOSSO PROBLEMA"

Não és tu o nosso Deus, que expulsaste os habitantes desta terra perante Israel, o teu povo, e a deste para sempre aos descendentes do teu amigo Abraão? Eles a têm habitado e nela construíram um santuário em honra ao teu nome, dizendo: "Se alguma desgraça nos atingir, seja o castigo da espada, seja a peste, seja a fome, nós nos colocaremos em tua presença diante deste templo, pois ele leva o teu nome, e clamaremos a ti em nossa angústia, e tu nos ouvirás e nos salvarás."

Mas agora, aí estão amonitas, moabitas e habitantes dos montes de Seir, cujos territórios não permitiste que Israel invadisse quando vinha do Egito; por isso os israelitas se desviaram deles e não os destruíram. Vê agora como estão nos retribuindo, ao virem expulsar-nos da terra que nos deste por herança.

*2 Crônicas 20:7-11*

Estas são palavras de guerra. Se ouvirmos o que o Senhor está nos dizendo através delas, aprenderemos algo que transformará para sempre o nosso plano de batalha e nos dará uma vitória após outra.

*Fase 1 — Ouça Diretamente de Deus*

Depois de iniciar esta oração reconhecendo o quanto o Senhor é grande, tremendo, poderoso e maravilhoso, Josafá começou a relatar atos poderosos específicos que o Senhor havia realizado no passado para proteger o Seu povo e manter as promessas que lhes havia feito. E por fim, ao apresentar o seu pedido, Josafá começou expressando a sua confiança de que o Senhor lidaria com o problema. Ele disse, com muitas outras palavras, mais ou menos o seguinte: "Ah, e por falar nisso, os nossos inimigos estão vindo contra nós para tentar tirar a posse que Tu nos deste por herança. Eu simplesmente achei que deveria mencionar este pequeno problema. Mas Tu és tão grande; sei que Tu já tens tudo sob controle."

Quando pedimos ajuda a Deus precisamos entender que Ele nos ouve na primeira vez que pedimos. Não precisamos gastar o nosso tempo de oração pedindo-lhe a mesma coisa repetidamente. Podemos continuar falando com Ele sobre as nossas necessidades até termos certeza em nosso coração de que iremos experimentar uma guinada em nossa vida, mas não temos de fazer isso para comover Deus.

Deus tem um plano para a nossa libertação antes mesmo de o problema aparecer. Ele não fica surpreso quando o inimigo ataca nem está no céu esfregando as mãos tentando imaginar o que fazer. Nossa parte é simplesmente colocar os nossos olhos nele e no Seu grandioso poder, adorando-o e louvando-o pela manifestação da Sua solução e estando atento para ouvir uma palavra ou uma direção da parte dele.

## CAPÍTULO 2

# Fase 2 — Admita a Sua Dependência de Deus

> Ó nosso Deus, não irás tu julgá-los? Pois não temos força para enfrentar esse exército imenso que vem nos atacar. Não sabemos o que fazer, mas os nossos olhos se voltam para ti.
>
> *2 Crônicas 20:12*

**Agora entramos na fase 2** do plano de batalha de Deus para Josafá, que se encontra no versículo 12. Aqui Josafá admite para Deus abertamente sua total incapacidade de lidar com o problema.

Precisamos entender que não podemos resolver os problemas que se levantam contra nós a cada dia. Não temos as respostas para todas as perguntas. Não sabemos como lidar com todas as situações que encontramos. Assim como Josafá, simplesmente não sabemos o que fazer.

Em vez de nos esforçarmos em vão tentando fazer alguma coisa a respeito de algo que não podemos resolver, até ficarmos completamente exaustos e totalmente frustrados com tanto esforço,

*Capítulo 2*

precisamos deixar Deus fazer aquilo que não podemos fazer por nós mesmos.

Durante anos, tentei arduamente me transformar, inutilmente. Tentei com muito afinco e por muito tempo quebrar meus maus hábitos, apenas para falhar vez após vez. Tentei alterar diferentes situações em minha vida, ter prosperidade, fazer o meu ministério crescer e ser curada. Lutava constantemente contra todos os "-itas". Lembro-me de querer simplesmente desistir, pois estava exausta demais por tentar lutar minhas próprias batalhas.

Constantemente passava por tudo isso, até que um dia, estava sendo realmente um tanto quanto melodramática a esse respeito, tentando impressionar Deus mostrando-lhe o quanto era infeliz. Acabei dizendo algo do tipo: "Deus, já chega. Já basta. Não aguento mais. Nada do que estou fazendo funciona. Desisto. Não vou mais agir assim."

Naquele instante, bem lá dentro de mim, ouvi o Espírito Santo dizer: "É mesmo?" Havia um verdadeiro entusiasmo em Sua voz. Isso acontece porque o único momento em que Ele consegue operar em nós é quando ficamos tão exaustos a ponto de decidirmos de uma vez por todas: "Em vez de tentar fazer isto por mim mesmo, vou desistir e deixar Deus ser Deus."

Tentar ser Deus irá esgotá-lo rapidamente. Por que não desistir dos seus esforços próprios e fazer o que Josafá fez no versículo 12? Admita para Deus que você não tem poder para enfrentar os seus inimigos e que você não sabe o que fazer, mas está confiando nele para lhe dar direção e libertação.

## TRÊS COISAS IMPORTANTES A FAZER

As três coisas que Josafá fez foram muito importantes. 1) Ele admitiu não ter forças para enfrentar seus inimigos; 2) Admitiu que não sabia o que fazer; 3) Ele disse que os seus olhos estavam em Deus.

*Fase 2 — Admita a Sua Dependência de Deus*

Dizendo estas três coisas, Josafá se colocou na posição certa para experimentar um milagre, e parece que isso não demorou muito a acontecer. Foram necessários apenas doze versículos. A maioria das pessoas não consegue chegar lá em doze anos, quanto mais em doze versículos!

## UMA POSIÇÃO DE TOTAL DEPENDÊNCIA EM DEUS

Jesus disse: "... sem mim vocês não podem fazer coisa alguma" (João 15:5). Na primeira vez que li essa passagem, eu mal podia começar a entender o quanto ela era verdadeira. Eu era uma pessoa muito independente, e logo no início da minha caminhada com Deus, Ele começou a me falar sobre esse versículo. Uma das leis espirituais para recebermos de Deus é a da total dependência dele. Sem fé não podemos agradar a Deus. Ela é o canal através do qual recebemos dele. A fé é descrita na versão *Amplified* da Bíblia, em língua inglesa, como "apoiar toda a personalidade humana em confiança absoluta no Seu poder, sabedoria e bondade" (ver 2 Timóteo 1:5, AMP).

Devemos confiar nele, nos apoiar nele, e depender inteiramente dele, tirando todo o peso de sobre nós mesmos e colocando-o todo sobre Ele. Quando me sento pesadamente sobre uma grande poltrona, estou colocando toda a minha dependência naquela poltrona para me sustentar. Tiro todo o peso de mim mesma e o coloco sobre a poltrona. É impressionante como muitas vezes confiamos mais em uma poltrona do que em Deus.

Dizemos que confiamos em Deus, e talvez confiemos em parte, mas temos dificuldade em confiar inteiramente nele. Costumamos ter um "plano B" — só para o caso de Deus não vir em nosso socorro.

Vamos fazer uma recapitulação. Quando os "-itas" atacaram Josafá, o que ele fez para obter direção de como lutar essa batalha? A primeira coisa que ele fez foi se dispor a buscar a Deus: "Custe o

## Capítulo 2

que custar, vou buscar a Deus. Esta situação é tão séria que vou até jejuar, pois sei que preciso ouvir a direção de Deus."

Então ele começou a falar com Deus sobre o Seu caráter. Por fim, mencionou o problema, mas só depois de louvá-lo e adorá-lo. Em seguida, ele admitiu abertamente toda a sua dependência de Deus. Ele disse o que geralmente temos dificuldade em dizer: "Não sei o que fazer."

Para muitos de nós, dizer: "Não sei o que fazer", é constrangedor. Achamos que é nosso dever resolver as coisas. Sentimo-nos estúpidos ou ineficientes se não conseguimos encontrar as respostas. Esse é o motivo pelo qual costumamos tentar diversas coisas, embora nenhuma delas esteja funcionando. O homem tem um desejo inerente em seu interior de receber o crédito e de ter uma boa reputação, mas Deus diz que a glória pertence a Ele. Embora Ele nos glorifique, é a SUA glória que Ele nos dá e não algo conquistado por nós.

Acredito que o diabo designa demônios a cada manhã para se sentarem sobre cada um dos nossos ombros e sussurrarem em nossos ouvidos: "O que você vai fazer? O que você vai fazer? O que você vai fazer?"

Josafá não se sentiu estúpido, e nós também não devemos nos sentir assim. Ele disse a Deus: "Não sabemos o que fazer, e mesmo se soubéssemos, não teríamos força para fazer." Ao dizer isso, ele foi sincero e se colocou em uma posição de total dependência de Deus. Ele assumiu essa postura bem no início da batalha — quanto mais cedo dependermos inteiramente de Deus, mais cedo teremos vitória.

Sem a ajuda de Deus, não podemos mudar nada em nossa vida. Não podemos transformar a nós mesmos, transformar nossos cônjuges, nossa família, nossos amigos, ou as circunstâncias ao nosso redor. Realmente, sem Ele certamente nada podemos fazer!

*Fase 2 — Admita a Sua Dependência de Deus*

Perdemos a paz e a alegria por não deixarmos Deus ser Deus. Tentamos resolver as coisas que não conseguimos nem sequer tocar com a nossa mente. Existem coisas que são simplesmente grandes demais ou profundas demais para nós. Nada é difícil demais ou maravilhoso demais para Deus, mas muitas coisas são difíceis demais ou maravilhosas demais para nós. Deus é infinito, mas nós somos seres humanos finitos, com limitações. Deus tem um conhecimento inesgotável, mas o nosso é limitado. A Bíblia diz em 1 Coríntios 13:9 diz que o nosso conhecimento é fragmentado, ou parcial. Conhecemos algumas coisas, mas não conhecemos tudo. Existem questões que simplesmente precisamos deixar de lado. Não saberemos tudo, mas podemos amadurecer a ponto de estarmos satisfeitos em conhecer aquele que sabe. Quando chegamos a esse ponto, entramos no descanso de Deus, o que também libera alegria em nossas vidas. No Salmo 131:1 Davi escreveu: "Senhor, o meu coração não é orgulhoso e os meus olhos não são arrogantes. Não me envolvo com coisas grandiosas nem maravilhosas demais para mim." Essa é a atitude do coração que Deus quer que todos nós tenhamos.

É muito libertador dizer: "Senhor, não sei o que fazer, e mesmo se soubesse, não poderia fazê-lo. Mas, Senhor, os meus olhos estão postos em Ti. Vou esperar e observar o Senhor fazer alguma coisa a respeito desta situação — porque não há absolutamente nada que eu possa fazer a respeito dela."

Quando deparamos com situações impossíveis ou mesmo difíceis, ouvimos a mesma música tocando em nossa mente constantemente: *O que você vai fazer? O que você vai fazer? O que você vai fazer?* Até mesmo nossos amigos podem dizer: "Ouvi falar sobre o que está acontecendo com você. O que você vai fazer?"

É então que devemos lhes dizer: "Vou fazer o que Josafá fez em 2 Crônicas 20. Vou entregar tudo ao Senhor — e esperar nele. Ele fará algo maravilhoso, e vou ter o prazer de assistir enquanto Ele faz isso!"

*Capítulo 2*

## ESPERE NO SENHOR

Todos os homens de Judá, com suas mulheres e seus filhos, até os de colo, estavam ali em pé, diante do Senhor.

*2 Crônicas 20:13*

Realmente amo este versículo. Reconheço-o como um versículo poderoso. Ficar parado é ação na economia de Deus. É ação espiritual. Geralmente agimos na esfera natural, e na esfera espiritual não fazemos nada, mas esperando em Deus estando de pé diante do Senhor, Josafá tomou uma atitude espiritual. Ele estava dizendo, na verdade: "Senhor, vou esperar em Ti até que Tu faças algo a respeito desta situação. Enquanto isso, vou aproveitar a minha vida enquanto espero que o Senhor se mova."

Satanás odeia a nossa alegria. Ela é o contrário do que ele está tentando provocar em nós. Ele quer ver raiva, emoções desenfreadas, lágrimas, autocomiseração, murmuração, reclamação, e quer que culpemos Deus e os outros pela nossa situação. Ele quer ver tudo menos alegria; *Neemias 8:10 diz que a alegria do Senhor é a nossa força.*

Não é irresponsabilidade desfrutar a vida enquanto estamos esperando que Deus resolva os nossos problemas. Jesus disse: "O ladrão vem apenas para roubar, matar e destruir; eu vim para que tenham vida, e a tenham plenamente" (João 10:10).

Somos tentados a pensar que não estamos fazendo a nossa parte se não nos preocuparmos ou tentarmos encontrar alguma resposta, mas devemos resistir a essa tentação porque ela impede a nossa libertação em vez de ajudar.

Deparando-se com uma força avassaladora que descia sobre eles para escravizá-los e destruir sua terra, toda Judá colocou-se de pé diante do Senhor.

Durante todo o tempo, o diabo estava gritando para eles: "O que vocês vão fazer? O que vocês vão fazer? O que vocês vão fazer?"

*Fase 2 — Admita a Sua Dependência de Deus*

Mas eles permaneceram ali, esperando em Deus.

Em Isaías 40:31, lemos: "Mas os que esperam no SENHOR renovam as suas forças, sobem com asas como águias, correm e não se cansam, caminham e não se fatigam."

Podemos vir a precisar da força que adquirimos enquanto esperávamos para fazer tudo quanto Deus nos instruir acerca do que fazer quando Ele nos apontar a direção. Aqueles que esperam no Senhor são os que recebem as respostas e são fortes o bastante para seguir a direção de Deus quando as recebem.

## ESPERANDO PELAS RESPOSTAS

> Então o Espírito do Senhor veio sobre Jaaziel, filho de Zacarias, neto de Benaia, bisneto de Jeiel e trineto de Matanias, levita e descendente de Asafe, no meio da assembleia.
>
> Ele disse: Escutem, todos os que vivem em Judá e em Jerusalém e o rei Josafá! Assim lhes diz o Senhor: "Não tenham medo nem fiquem desanimados por causa desse exército enorme. Pois a batalha não é de vocês, mas de Deus."
>
> *2 Crônicas 20:14-15*

Quando toda Judá estava reunido diante do Senhor, um deles começou a profetizar. O Espírito de Deus veio sobre ele, pois todos estavam esperando em Deus.

Quando aprendermos a buscar a Deus e a esperar nele, Ele nos dará uma resposta. Essa resposta pode ser muito clara e simples. O Senhor disse a Judá para não temer porque a batalha não era deles, mas do Senhor. Isto não parece místico demais ou profundamente espiritual, mas era tudo que eles precisavam ouvir.

*Capítulo 2*

Que boa notícia deve ter sido aquela para Josafá e para o restante do povo. A BATALHA NÃO É DE VOCÊS, MAS DE DEUS. Isso não significava que não havia nada para eles fazerem; significava que Deus ia lhes mostrar qual seria a parte deles. Eles podiam fazê-la na força e na sabedoria do Senhor, mas a batalha ainda pertencia e seria vencida por Ele.

Depois dessa palavra de encorajamento veio outra de instrução, como veremos. Devemos esperar no Senhor até Ele nos dizer o que devemos fazer — e obedecer à Sua direção na Sua força, adquirida por nós enquanto esperávamos nele.

# Capítulo 3

# Fase 3 — Assuma a Sua Posição

> Amanhã, desçam contra eles. Eis que virão pela subida de Ziz, e vocês os encontrarão no fim do vale, em frente do deserto de Jeruel. Vocês não precisarão lutar nessa batalha. Tomem suas posições, permaneçam firmes e vejam o livramento que o Senhor lhes dará, ó Judá, ó Jerusalém. Não tenham medo nem desanimem. Saiam para enfrentá-los amanhã, e o Senhor estará com vocês.
>
> *1 Crônicas 20:16-17*

**Esta passagem instrui** o povo de Judá a respeito da posição que eles deviam tomar para a batalha. Sempre pensei que a posição deles — e também a nossa — fosse a de ficar parados. Embora isso seja verdade, houve outra instrução que era igualmente importante. Depois de recebê-la do Senhor, Josafá dobrou os joelhos com o rosto voltado para o chão e adorou. UAU! A adoração era a verdadeira posição deles, e adorando eles também estariam parados. A posição de joelhos é uma posição de batalha — a posição reverente do rosto voltado para o chão é uma posição de batalha. Ajoelhar-se com as mãos erguidas é uma posição de batalha. Davi disse sobre

*Capítulo 3*

Deus: "Ele treina as minhas mãos para a guerra." Creio que ele foi ensinado a erguer as mãos em adoração e a se render ao Senhor, ele a reconhecia como uma posição de batalha.

> Bendito seja o Senhor, a minha Rocha, que treina as minhas mãos para a guerra e os meus dedos para a batalha.
>
> *Salmos 144:1*

Talvez quando Davi tocasse seus instrumentos musicais, seus dedos estivessem guerreando. O louvor, a adoração, o canto, a Palavra de Deus, a alegria — tudo isso constituem armas de guerra.

Uma definição primária de louvor no Dicionário Vine de palavras do Antigo Testamento relaciona os termos "glória; louvor; cântico de louvor; atos dignos de louvor".[1] No Novo Testamento, *louvor* é definido no dicionário Vine de palavras em grego em parte como sendo "principalmente 'um conto, narração'".[2] Continua dizendo que "'louvor' deve ser dado a Deus, com respeito à Sua glória (a demonstração do Seu caráter e das Suas operações)..."[3] Em outras palavras, louvar significa falar sobre ou cantar a bondade, a graça e a grandeza de Deus.

No Antigo Testamento, *adorar* é descrito como "prostrar-se, curvar-se".[4] No Novo Testamento, *adorar* é definido em parte como "inclinar-se, fazer reverência", a partir de uma palavra formada por duas palavras gregas que significam "em direção a" e "beijar", um termo "usado como um ato de homenagem ou reverência" a Deus.[5] Relacionada sob o título "Notas" há uma referência em Atos 17:25 à palavra significando "servir, prestar serviço a" Deus; é interpretada como 'é adorado'" em algumas traduções.[6] Também sob o título "Notas" o dicionário Vine diz: "(1) A adoração a Deus não se encontra definida em qualquer parte das Escrituras. Uma consideração aos verbos acima mostra que ela não está limitada ao louvor; de uma forma ampla, pode ser encarada como o reconhecimento

*Fase 3 — Assuma a Sua Posição*

direto de Deus, da Sua natureza, Seus atributos, caminhos e afirmações, quer seja pela liberação do coração em louvor e gratidão, quer seja por atos feitos devido a esse reconhecimento..."[7]

Estas são definições básicas e simples, mas sinto que representam tudo que precisamos. Se Deus não se importou em definir a adoração na Bíblia, Ele obviamente sabia que as pessoas têm um entendimento inerente do que ela significa.

> As armas com as quais lutamos não são humanas; ao contrário, são poderosas em Deus para destruir fortalezas.
>
> *2 Coríntios 10:4*

Nossas armas não são armas naturais. Não são algo que o mundo entenderia, ou mesmo algo que pareceria funcionar na esfera natural. Mas no reino de Deus, elas funcionam. Quando os israelitas estavam em batalha, costumavam enviar Judá em primeiro lugar. Aquela era a tribo que representava o louvor; é isto que Judá significa. Precisamos aprender a lutar da maneira de Deus, e não da maneira do mundo. "Nossa luta não é contra seres humanos, e sim contra principados e potestades, contra os dominadores deste sistema mundial em trevas, contra as forças espirituais do mal nas regiões celestiais" (Efésios 6:12).

Nossa guerra não é contra pessoas de carne e sangue; é contra Satanás, o inimigo de nossas almas. Portanto, tomamos a posição de combate na esfera espiritual, mantendo-nos firmes e adorando o Senhor.

> Por isso, vistam toda a armadura de Deus, para que possam resistir no dia mau e permanecer inabaláveis, depois de terem feito tudo. Assim, mantenham-se firmes, cingindo-se com o cinto da verdade, vestindo a couraça da justiça.
>
> *Efésios 6:13-14*

*Capítulo 3*

Fiquei absolutamente assombrada quando percebi que a nossa posição na batalha era a posição da adoração. Não sei por que não vi isso antes, a não ser, é claro, que Satanás tivesse cegado o meu entendimento mantendo-me ocupada com as obras da carne que não funcionam!

Colocar-se de pé significa permanecer ou entrar no descanso de Deus. Não é descansar fisicamente, mas espiritualmente. Quando estou de pé, mantendo-me firme na minha posição, estou me recusando a ceder. Estou perseverando em crer que Deus me livrará. Estou permanecendo (continuando) nele.

Efésios 6 também nos diz para permanecermos firmes na nossa posição: "... e havendo batalhado até o final, permanecereis inabaláveis" (v. 13).

Na luta contra os nossos inimigos espirituais, a posição que devemos ocupar está em Cristo. É permanecendo e descansando nele. É adorando e louvando.

Quando você se deparar com uma crise e não souber o que fazer, siga as instruções de Deus para Josafá e o Seu povo. Assuma sua posição de adoração; fique parado e veja a salvação do Senhor. Reúna suas forças. Acalme-se. Diga à sua mente para parar de tentar encontrar a resposta. Volte o seu foco para Deus.

Abra a sua boca, e cante os cânticos que estão no seu coração. Deus diz na Sua Palavra que Ele nos dará cânticos de livramento. Deus os dá, mas precisamos cantá-los para que tenham eficácia contra Satanás.

> Tu és o meu abrigo; tu me preservarás das angústias e me cercarás de canções de livramento.
>
> *Salmos 32:7*

O Senhor disse a Josafá para não ficar apavorado. O pavor é uma mistura de medo, pânico e ansiedade. Quando um desses

*Fase 3 — Assuma a Sua Posição*

"medo-itas" tentarem chamar nossa atenção, precisamos avançar contra este tipo de pensamento e sentimento.

> ... Saiam para enfrentá-los amanhã, e o Senhor estará com vocês.
>
> *2 Crônicas 20:17*

Precisamos ficar parados, e enfrentar esses medos, adorando a Deus. Adorar a Deus não é algo para ser feito apenas quando nos reunimos em um culto da igreja; é para a nossa vida diária — a adoração pessoal. É algo que precisamos fazer ao longo de todo o dia.

A Bíblia descreve uma postura física de adoração. Depois que Deus falou a Josafá e ao povo de Judá por meio do profeta, o povo reagiu se prostrando em adoração. Nem sempre podemos nos prostrar; podemos estar em lugares onde isso não seria possível ou até mesmo apropriado. Mas no nosso coração, podemos sempre adorar, em qualquer momento e em qualquer lugar.

## A POSTURA DA ADORAÇÃO

> Josafá prostrou-se com o rosto em terra, e todo o povo de Judá e de Jerusalém prostrou-se em adoração perante o Senhor.
>
> *2 Crônicas 20:18*

Creio que esse versículo descreve a postura que precisamos adotar diante do Senhor com muito mais frequência. Como já mencionei, nem sempre podemos adotar essa posição, mas devemos adotar a prática de nos prostramos diante do Senhor em reverência e adoração. Realmente creio que o hábito de nos prostrarmos é bom para nós. Ele nos lembra da nossa posição de humildade diante do Senhor.

*Capítulo 3*

Estudei a palavra "adoração" e descobri que existem diversas maneiras diferentes de descrevê-la. Obviamente, deve haver uma atitude interior do coração que vem em primeiro lugar, mas uma das palavras frequentemente usada para descrever a adoração fala de uma postura externa, como vemos em 2 Crônicas 20:18.

## LEVANTE-SE E LOUVE A DEUS

> Então os levitas descendentes dos coatitas e dos coreítas levantaram-se e louvaram o Senhor, o Deus de Israel, em alta voz.
>
> *2 Crônicas 20:19*

Imagine a cena do que aconteceu nesta situação. Primeiramente, todos se prostraram para adorar o Senhor. Depois, alguns deles se levantaram e começaram a louvar a Deus "em alta voz".

Não precisamos ficar parados em uma posição, mas precisamos adorar com frequência. Devemos adorar a Deus porque acreditamos que Ele merece a nossa adoração, e devemos também entender que Satanás odeia nossa adoração, e que ela o derrota.

Algumas pessoas acreditam que Satanás um dia pode ter sido o arcanjo que estava a cargo da adoração no céu até se rebelar contra Deus e ser lançado para fora. Creem que o seu corpo era realmente feito de instrumentos musicais, de modo que cada movimento que ele fazia gerava música. Não é de admirar que ele despreze nossa adoração; ele sente ciúmes. Esta foi uma posição que ele teve e perdeu pela rebelião e pelo orgulho (Ver Ezequiel 28:13,14,17).

## CREIA E PERMANEÇA FIRME

> De madrugada partiram para o deserto de Tecoa. Quando do estavam saindo, Josafá lhes disse: "Escutem-me, Judá

*Fase 3 — Assuma a Sua Posição*

e povo de Jerusalém! Tenham fé no Senhor, o seu Deus, e vocês serão sustentados; tenham fé nos profetas do Senhor, e terão a vitória."

*2 Crônicas 20:20*

Depois de adorar e louvar o Senhor, o povo saiu para encontrar o inimigo. Observe que eles saíram para encontrar o inimigo *depois* de adorarem e louvarem.

Enquanto iam, Josafá recordou-lhes que eles precisavam se lembrar da Palavra do Senhor que havia sido proclamada no dia anterior e não deviam começar a duvidar dela.

Alguns de nós podemos precisar voltar à palavra que o Senhor nos deu. Deus pode nos dar uma palavra de consolo ou uma palavra de direção, e podemos ficar muito empolgados, cheios de fé, sentindo-nos ousados e capazes de vencer o inimigo, Mas também podemos nos esquecer dessa palavra e precisar voltar a ela. Timóteo havia ficado temeroso e desanimado, e Paulo encorajou-o a se lembrar das palavras de profecia que lhe foram dadas na ocasião da sua ordenação e imposição de mãos pelos presbíteros.

Josafá disse ao povo para crer nos profetas, para se lembrarem da palavra que o profeta havia proclamado no dia anterior, de que a batalha não era deles, mas do Senhor. Eu o encorajo a não dar ouvidos ao inimigo. Ele é um mentiroso e o pai de toda mentira. Ele é o desanimador, aquele que sussurra: "A sua vida nunca vai mudar." Vá à Palavra escrita de Deus ou recorra a uma palavra que ele tenha lhe dado em algum momento, e lembre-se de que Deus não pode mentir. As Suas promessas são seguras, e podemos depender delas.

Permaneça firme, e você será liberto. Herdamos as promessas de Deus pela fé e pela paciência.

*Capítulo 3*

## CANTE LOUVORES

> Depois de consultar o povo, Josafá nomeou alguns homens para cantarem ao Senhor e o louvarem pelo esplendor de sua santidade, indo à frente do exército, cantando: "Deem graças ao Senhor, pois o seu amor dura para sempre."
>
> *2 Crônicas 20:21*

Aqui neste versículo está a essência desta fase do plano de batalha de Deus para Josafá e o seu povo: Cantar ao Senhor, louvá-lo e dar lhe graças. Os que louvavam disseram: "Deem graças ao Senhor, pois o Seu amor dura para sempre!"

Cantar e dar graças pode não parecer a coisa certa a se fazer no momento do problema, mas acredite, é exatamente isto que precisamos fazer. Muitas coisas não fazem sentido para a nossa mente, mas isso não quer dizer que não devíamos fazê-las. Dependemos demais da nossa mente sem perceber muitas coisas erradas que estão nelas programadas devido a anos de atuação dentro do sistema deste mundo. A Bíblia diz em Romanos 12:2 que a nossa mente deve ser inteiramente renovada pela Palavra de Deus para que experimentemos a Sua boa vontade para as nossas vidas.

Deixe-me lhe dar um exemplo da minha própria experiência e um exemplo de um amigo meu.

Há anos, eu estava tendo dores de cabeça terríveis, e o médico me prescreveu alguns remédios. Os remédios faziam com que eu me sentisse como se um trem de carga estivesse passando pela minha cabeça. Realmente ouvia em minha cabeça um zumbido muito alto e parecia que aquilo ia me deixar louca.

Eu havia tomado o remédio por um dia e naquela noite, quando fui me deitar, não consegui dormir. Estava enjoada; sentia aquele barulho em minha cabeça, além da dor, e o diabo estava

*Fase 3 — Assuma a Sua Posição*

ocupado mentindo para mim. Alguns de meus antepassados haviam sofrido de doenças mentais, e Satanás estava tentando se aproveitar disso me dizendo que eu estava perdendo a sanidade mental. Dave estava dormindo profundamente; eram cerca de duas ou três horas da manhã; a casa estava muito silenciosa e eu me sentia sozinha no mundo com a minha dor. Parecia que eu estava ficando doente, então me levantei e fui para o banheiro.

Estava sentada no chão do banheiro com o lado da cabeça e o rosto encostado no assento do vaso sanitário. Foi então que ouvi uma canção saindo do meu ser interior, e ouvi o Espírito Santo dizer: "Cante."

*Cantar?* Pensei.

Não estava com vontade de cantar. Estava com vontade de vomitar, talvez de desistir — qualquer coisa, menos de me levantar e cantar. Entretanto, a instrução persistia; "Cante". Eu me sentia deprimida, com vontade de chorar, de sentir pena de mim mesma ou até mesmo de ficar zangada com meu marido Dave, por estar dormindo enquanto eu estava sofrendo. Não podemos agir com base nos nossos sentimentos e ter a vitória de Deus em nossas vidas.

A canção que estava ecoando dentro de mim era uma velha música que eu não ouvia há muitos anos. Ela se chamava "No Jardim".[8] Lembrava de Jesus e de como Ele sofreu no Jardim do Getsêmani. Com certeza, se Ele conseguiu fazer isso, eu também poderia. Em obediência a Deus, abri a minha boca e comecei a resmungar aquela canção. Eu cantava tão mal que não posso sequer dizer que estava cantando, mas apenas tentando obedecer a Deus, e realmente melhorei.

O segundo exemplo aconteceu com um amigo. Ele estava passando por uma auditoria do Imposto de Renda, algo no mínimo nada agradável. Embora não tivesse feito nada de errado, pelo menos que fosse do seu conhecimento, a mulher que estava fazendo a auditoria não foi muito amigável e parecia estar procurando

*Capítulo 3*

algo para criar uma grande confusão. Eles já haviam tido dois encontros, e ele estava se dirigindo para um terceiro. Meu amigo estava realmente tentando saber o que dizer e como deveria cuidar do assunto quando de repente ouviu em seu coração uma canção que ele havia escrito. Ele disse que aquela canção não o deixava, e isso começou a irritá-lo, pois sentia que precisava preparar um plano, e não cantar.

Este homem é um líder de louvor, portanto escrever e cantar músicas é algo bastante comum para ele, mas ele sentia que aquele não era o momento. Continuou resistindo à canção, e até disse ao Senhor: "Este não é o momento de eu me dedicar a uma música." Por fim Deus conseguiu prender a sua atenção e mostrou a ele que aquela música era, na verdade, uma canção de libertação para ele, mas para isso ele precisava cantá-la. Falava sobre o fato de Deus ser o nosso Refúgio e Libertador em tempos de angústia.

Ele seguiu para o encontro, cantando o tempo todo. Estava cheio de alegria quando chegou e a experiência foi muito interessante. Ele disse que a agente do Imposto de Renda realmente ficou confusa e aturdida e parecia não estar nem sequer entendendo o que estava examinando. Ele se mostrou muito alegre e amigável, embora ela permanecesse amarga e sombria. De repente ela disse: "Nossa reunião terminou. Telefonarei para marcar outra." Três semanas se passaram, e ele recebeu uma carta pelo correio dizendo que tudo estava bem, e não haveria necessidade de mais reuniões. O caso estava encerrado.

Espero que com esses dois exemplos você tenha sido encorajado a cantar quando os problemas surgirem, em vez de ceder à tentação de tomar certas atitudes.

Josafá provavelmente sentiu o mesmo que senti no chão do banheiro ou o mesmo que meu amigo sentiu enquanto ia para a sua reunião, mas ele foi obediente, e isso funcionou, como você poderá verificar.

*Fase 3 — Assuma a Sua Posição*

## APENAS ADORE

Quando temos uma necessidade em nossas vidas, podemos adorar a Deus por ela em vez de suplicar a Deus por ela. A Bíblia afirma que não temos por não pedirmos (Tiago 4:2). Então precisamos pedir — precisamos tornar os nossos pedidos conhecidos — mas não precisamos entrar no modo de súplicas. Somos crentes, não pedintes. Mateus 6 nos ensina que quando estamos orando, não devemos repetir as mesmas frases sem cessar, pensando que seremos ouvidos por tanto falar. A qualidade é muito mais importante do que a quantidade. Em geral temos a ideia errônea de que se as orações forem longas, serão eficazes, mas isso não é verdade.

Pessoalmente acredito que às vezes podemos falar tanto, que por fim nem temos mais certeza do que estamos pedindo. Eu costumava falar tanto quando orava que ficava confusa. Há alguns anos, Deus estava tratando comigo a esse respeito e me desafiou a começar a lhe pedir o que eu queria, mas eu deveria fazer isso de uma maneira muito simples, usando o mínimo de palavras possível. Foi necessário aprender uma nova disciplina, mas comecei a fazê-lo. Então eu usava o restante do meu tempo esperando na Sua Presença ou simplesmente adorando-o. Descobri que este método era muito mais renovador e eficaz. Muitas vezes ainda escorrego e volto aos meus velhos hábitos, pensando que maior quantidade é melhor, e o Senhor precisa me lembrar novamente de que a simplicidade é poderosa.

Tudo que precisamos fazer é examinar a Oração do Pai nosso. Seus discípulos disseram: "... Senhor, ensina-nos a orar..." e o modelo que Jesus deu é extremamente simples, mas certamente eficaz. É a sinceridade do coração que é importante para o Senhor, e não um monte de palavras vazias que provavelmente não têm uma sinceridade de coração verdadeira por trás delas.

Não estou sugerindo que deixemos de passar um período de tempo mais longo com o Senhor, mas que esse tempo possa ser utilizado esperando e adorando, e não apenas falando.

*Capítulo 3*

Sinto que a melhor maneira de vermos nossas necessidades atendidas é pedindo o que queremos, ou precisamos, e depois adorando a Deus por Ele *ser* o que precisamos. Ele não apenas nos dá o que precisamos — Ele *é* o que precisamos.

Quando precisamos de paz, Ele é a nossa paz. Ele é a nossa santificação, justificação e justiça. Ele é Jeová Jireh, o Senhor nosso Provedor. É a alegria do Senhor que é a nossa força. Ele não apenas nos dá alegria, mas *é* a nossa alegria, a nossa esperança e o Caminho.

Uma das coisas que percebi que aconteceram em minha vida foi que quando adoro a Deus por um de Seus atributos, vejo aquele atributo ser liberado em minha vida. Quando precisamos de misericórdia, devemos começar a adorar e louvar a Deus por Sua misericórdia. Ao precisarmos de provisão ou finanças, devemos começar a adorar e louvar a Deus porque Ele já nos prometeu que jamais nos faltará bem algum (ver Salmos 84:11). Podemos nos alegrar pelo fato de que por Ele ser o nosso Pastor, nada nos faltará.

Você pode tentar dizer algo do tipo:

"Pai, venho em nome de Jesus, e eu Te adoro pela Tua tremenda majestade. Sei que Tu podes fazer qualquer coisa. Lembro-me de todas as vezes que me ajudaste e me livraste no passado, e quero agradecer-Te pela Tua bondade em minha vida. Tu, Senhor, és o meu Auxílio, minha Força, minha Torre Forte, um Refúgio na tempestade: Tu és o meu Esconderijo".

"Tu és fiel, e decido colocar a minha fé em Ti. Pai, Tu sabes que tenho uma necessidade neste instante. Os meus inimigos estão se levantando com fúria contra mim, e não sei o que fazer. Ainda que soubesse, eu não seria forte o bastante para fazê-lo. Estou esperando em Ti, Senhor, para me dar a vitória. A batalha pertence a Ti, Senhor; ela não é minha".

"Livra-me da maneira que escolheres. Seja feita a Tua vontade, e não a minha. O meu tempo está nas Tuas mãos. Agora, Senhor, eu Te louvo e Te adoro porque tens um plano e porque nenhuma pessoa

*Fase 3 — Assuma a Sua Posição*

ou poder demoníaco pode desviar o Teu plano. Eu Te agradeço, pois Tu estás no processo de me livrar neste instante, e eu verei esse livramento com meus próprios olhos. Obrigado, Senhor, por me dar paz enquanto espero. Obrigado pela força para não desistir. Ajuda-me a andar no fruto do Espírito, embora eu esteja sendo pressionado neste instante pelo inimigo. Mantém-me no caminho estreito que leva à vida. Amo o Senhor mais do que consigo expressar".

Então, quando a necessidade vier à sua mente nos dias que se seguirem, simplesmente comece a louvar, a adorar e a dar graças porque Deus ouviu a sua oração e está operando para lhe dar a vitória.

Este tipo de oração realmente o encorajará e aumentará a sua fé.

## LIBERAÇÃO ATRAVÉS DA ADORAÇÃO

Há uma liberação resultante da adoração. Às vezes precisamos de uma liberação mental ou emocional. À medida que adoramos o Senhor, liberamos o fardo emocional ou mental que está pesando sobre nós. Ele é absorvido pela grandiosidade de Deus.

Comece a adorar bem cedo de manhã. Sugiro começar antes mesmo de sair da cama. Adore enquanto se prepara para o trabalho; adore a caminho do trabalho. Você ficará impressionado ao ver como tudo começa a mudar em casa e no trabalho. A adoração cria uma atmosfera em que Deus pode operar.

Murmurar, resmungar, procurar defeitos — ser negativo — cria uma atmosfera em que Satanás pode operar, mas a adoração faz exatamente o contrário. Algumas pessoas viajam em grupo em um mesmo carro, e resmungam durante todo o trajeto até o trabalho. Elas fofocam falando das pessoas no trabalho, reclamam do patrão ou das condições de trabalho, e posso lhe garantir que nada no trabalho delas vai mudar por causa de sua murmuração e da reclamação, e ainda pode piorar.

41

*Capítulo 3*

Ser grato e dar graças a Deus começa a nos transformar. Deveríamos agradecer a Deus por termos um emprego; muitas pessoas não têm um emprego. Costumo agradecer a Deus por não precisar dormir nas ruas nem entrar em uma fila para tomar sopa e me alimentar. Concentre-se nas coisas que você tem, e não nas que você não tem.

> Entrem por suas portas com ações de graças, e em seus átrios, com louvor; deem-lhe graças e bendigam o seu nome.
>
> *Salmos 100:4*

> Bendirei o Senhor o tempo todo! Os meus lábios sempre o louvarão.
>
> *Salmos 34:1*

A adoração nos transforma. Ao começarmos a adorar a Deus pelas mudanças que Ele já está fazendo em nós, descobrimos que elas começam a se manifestar cada vez mais, e experimentamos novos níveis de glória, que é a manifestação e todas as Suas excelências. Em outras palavras, Deus derramará Sua bondade sobre o adorador.

Não se esqueça das promessas de Deus, da palavra que Ele lhe disse. Enquanto está esperando pela manifestação e expressão do que você deseja e Deus já lhe prometeu, permita que os seus dias e noites sejam cheios de uma atitude positiva, de louvor, adoração e ações de graças.

Quando nos esquecemos da Palavra de Deus dada a nós, começamos a nos sentir desanimados, derrotados, impacientes, negativos e irados. O que está no coração sai pela boca, de modo que começamos naturalmente a dizer coisas erradas. A Palavra de Deus nos ensina que recebemos o que dizemos. Deus chama à existência

*Fase 3 — Assuma a Sua Posição*

as coisas que não existem como se já existissem (Romanos 4:17). Devemos seguir o Seu exemplo e fazer o mesmo.

Que nós possamos permanecer na posição de receber enquanto adoramos.

* * *

# CAPÍTULO 4

# Fase 4 — O Senhor Traz Libertação

> Quando começaram a cantar e a entoar louvores, o Senhor preparou emboscadas contra os homens de Amom, de Moabe e dos montes de Seir, que estavam invadindo Judá, e eles foram derrotados.
>
> *2 Crônicas 20:22*

**Este versículo diz** que enquanto o povo de Judá estava cantando louvores a Deus, Ele preparou emboscadas contra os seus inimigos, e eles se mataram. O louvor confundiu o inimigo.

Creio que essas são informações absolutamente tremendas! Pense nisso. Eles se dispuseram a buscar a Deus em vez de viver com medo. Disseram a Deus o quanto Ele é tremendo, depois se puseram de pé e esperaram em Deus. Ele enviou um profeta com uma palavra para eles, dizendo que aquela batalha não era deles, mas do Senhor. O mesmo profeta lhes disse para tomarem posição e ficarem parados. Eles adoraram e louvaram. Josafá indicou cantores para cantarem e louvarem, e assim o Senhor derrotou os seus inimigos confundindo-os de tal maneira que eles mataram uns aos outros!

*Capítulo 4*

Em Juízes vemos outro exemplo de livramento dado por Deus através de um plano de batalha que, humanamente falando, não parecia ter possibilidade de funcionar.

> De madrugada Jerubaal, isto é, Gideão, e todo o seu exército acampou junto à fonte de Harode. O acampamento de Midiã estava ao norte deles, no vale, perto do monte Moré.
>
> E o Senhor disse a Gideão: Você tem gente demais, para eu entregar Midiã nas suas mãos. A fim de que Israel não se orgulhe contra mim, dizendo que a sua própria força o libertou, anuncie, pois, ao povo que todo aquele que estiver tremendo de medo poderá ir embora do monte Gileade. Então vinte e dois mil homens partiram, e ficaram apenas dez mil.
>
> *Juízes 7:1-3*

Gideão estava enfrentando uma grande batalha, mas em vez de lhe dizer que lhe daria mais homens para ajudá-lo, Deus disse que, na verdade, Gideão já tinha homens demais para que o Senhor lhe desse a vitória. O interessante é que às vezes Deus opera melhor através da nossa fraqueza e não da nossa força. Há momentos em que temos coisas demais a nosso favor na esfera natural para que Deus nos dê a vitória. Ainda não estamos no ponto certo para recebermos um milagre se qualquer pessoa que não seja o próprio Deus puder nos ajudar. O Senhor estava dizendo a Gideão que eles eram fortes demais em si mesmos. Na verdade, Deus queria que eles estivessem em uma posição em que precisassem depender inteiramente dele.

O orgulho e a vanglória arruínam o melhor dos homens, de forma que Deus precisa nos ajudar a permanecermos humildes sob a Sua mão poderosa, totalmente dependentes dele. Israel já havia passado pela mesma situação repetidas vezes, desde o seu êxodo do Egito. Eles dependiam inteiramente de Deus e Ele os ajudava, mas depois eles se tornavam autossuficientes, desobedientes e rebeldes, pensando que não precisavam de Deus, e as circunstâncias ao seu redor tornavam-se ruins outra vez. Quando confiavam em Deus, derrotavam seus inimigos; quando isso não acontecia, os inimigos deles os derrotavam.

## DEIXE QUE OS MEDROSOS VOLTEM PARA CASA

O Senhor instruiu Gideão a dizer aos homens que os medrosos deveriam dar meia-volta e voltar para casa. Do total dos homens, 22 mil partiram, deixando 10 mil para trás para enfrentarem o inimigo.

Isto nos diz que havia mais homens com medo do que sem medo. Quantas vezes Deus coloca algo em nosso coração para fazermos, mas depois o medo vem, e começamos a hesitar e ficamos indecisos? Como disse anteriormente, podemos sentir medo, mas podemos agir apesar do medo, se for necessário. Deus diz: "Não temas, porque Eu sou contigo." Este é o motivo número 1 para não precisarmos dobrar os joelhos diante do medo e deixar que ele controle nosso destino. Deus está conosco e nos protegerá se colocarmos a nossa confiança nele.

> Mas o Senhor tornou a dizer a Gideão: "Ainda há gente demais. Desça com eles à beira d'água, e eu separarei os que ficarão com você. Se eu disser: Este irá com você, ele irá; mas, se eu disser: Este não irá com você, ele não irá." Assim Gideão levou os homens à beira d'água, e o Senhor lhe disse: "Separe os que beberem a água lambendo-a como faz o cachorro, daqueles que se ajoelharem para beber." O número dos que lamberam a água levando-a com as mãos à boca foi de trezentos homens. Todos os demais se

*Capítulo 4*

ajoelharam para beber. O Senhor disse a Gideão: "Com os trezentos homens que lamberam a água livrarei vocês e entregarei os midianitas nas suas mãos. Mande para casa todos os outros homens."

*Juízes 7:4-7*

Quando li esta passagem pela primeira vez, pensei: *O que significa todo este negócio de lamber e se ajoelhar?* Eu não conseguia entender isso, então pedi ao Senhor para me mostrar o que estava por trás dessa passagem. Ele me guiou a uma nota de rodapé em outra Bíblia, que eu normalmente não uso, e ela dá uma explicação para este acontecimento.

O cenário era mais ou menos este: os homens de Gideão estavam todos com sede. Quando viram a água, alguns deles correram para ela, ajoelharam-se, colocaram o rosto na água e começaram a beber. Os outros apenas usaram as mãos para pegar água, trazendo-a até a boca para beber. Aqueles que pegaram a água com a mão, ainda podiam olhar a área em volta e tomar cuidado com o inimigo enquanto estavam bebendo. Permaneciam alerta e prontos para fazer o seu trabalho enquanto os outros, aqueles que se curvaram e colocaram o rosto na água, só pensaram na sua necessidade imediata enquanto se esqueciam de vigiar o inimigo.

Os 300 que lamberam a água demonstraram sabedoria e diligência. Este é o tipo de pessoas que Deus escolhe para trabalhar por Seu intermédio.

## RESISTA AOS EMBARAÇOS

Quando Deus nos dá algo para fazer, Ele coloca um chamado sobre a nossa vida. Uma das coisas que não devemos fazer é ficar tão envolvidos com nossa própria necessidade a ponto de deixarmos de fazer o que Deus nos incumbiu de fazer.

*Fase 4 — O Senhor Traz Libertação*

Temos a tendência de ficar enredados nas circunstâncias ao nosso redor. Paulo disse a Timóteo que nenhum soldado em serviço se envolve com as coisas da vida civil. Precisamos evitar ficarmos presos ao mundo. Estamos no mundo, mas precisamos resistir a nos tornarmos mundanos ou a amarmos excessivamente o mundo e as coisas que nele estão.

Se ficarmos presos a ele perderemos o rumo e seremos impedidos de completar o chamado de Deus para as nossas vidas. Às vezes somos envolvidos até pelos problemas de outras pessoas. Embora certamente queiramos nos envolver e ajudar as pessoas, não devemos perder o equilíbrio. Há uma diferença ente o envolvimento segundo Deus e os embaraços. Podemos até ficar enredados em nossas próprias necessidades. Podemos ficar tão ocupados tentando suprir nossas próprias necessidades a ponto de perdermos o foco da vontade de Deus. Basicamente, foi isso que aconteceu com os soldados de Gideão que se curvavam e colocavam o rosto na água. Eles se deixaram levar tanto pelas emoções no que se refere a saciar a sua própria sede, que perderam a vontade de Deus para eles. Precisamos vigiar e não nos permitir ser enredados e presos em uma armadilha.

> ... livremo-nos de tudo o que nos atrapalha e do pecado que nos envolve, e corramos com perseverança a corrida que nos é proposta.
>
> *Hebreus 12:1*

Se você e eu quisermos fazer algo para Deus, precisamos resistir aos embaraços. Deixe-me lhe dar um exemplo.

Em um determinado momento durante o processo da expansão do nosso ministério, precisávamos adquirir uma propriedade e construir um prédio para a nossa sede. Seria um longo projeto e uma porção enorme de trabalho, mas não tínhamos escolha. Se não construíssemos um prédio teríamos de sufocar o nosso crescimento.

*Capítulo 4*

Havíamos procurado por prédios existentes por muito tempo para que pudéssemos nos mudar para um local já pronto, mas simplesmente não conseguíamos encontrar nada adequado que também tivesse algum terreno para podermos nos expandir quando fosse necessário.

A princípio, resisti muito a adquirir uma propriedade e erguer um prédio, pois eu sabia que representaria muito trabalho, e eu sempre dizia: "Não quero ficar presa a tudo que diz respeito à construção de um prédio." Já tinha muita coisa para fazer e não queria perder de vista minhas prioridades, que são orar, estudar, pregar, ensinar e escrever.

Embora eu seja o tipo de pessoa que naturalmente gosta de estar envolvida em tudo que está acontecendo, disse a meu marido, Dave: "Não vou ficar enredada no desenvolvimento da propriedade, conseguindo licenças para a construção, desenhando projetos e tudo o mais. Não foi isso que fui ungida para fazer." Dave é ungido para este tipo de coisa e realmente gosta disso, então precisei me disciplinar de forma a ficar fora disso para poder me dedicar ao meu chamado.

Quando existe algo que precisa ser tratado e que irá afastá-lo da sua prioridade, procure outra pessoa e deixe que ela o faça ou pague para que ela o faça se for preciso.

Houve momentos em que quase precisei agir de forma violenta, porque podia sentir aquela situação tentando me sugar para dentro dela. Eu continuava dizendo a mim mesma e às outras pessoas: "Simplesmente não posso me envolver neste projeto." É claro que havia algumas coisas com as quais era necessário eu me envolver e eu não me importava com isso, mas insistia em não ir longe demais. O projeto acabou durando cinco anos desde o seu princípio até o final, e sou muito grata pelo nosso prédio. Ele é lindo e está quitado, o que torna tudo ainda melhor.

*Fase 4 — O Senhor Traz Libertação*

Pelo fato de não querer realmente me envolver, ocasionalmente eu via coisas que estavam sendo feitas e pensava: *Não gosto disso.* Mas então eu precisava lembrar a mim mesma ou até Dave me lembrava de que eu optara por não me envolver em nenhum nível. Assim sendo, eu devia entender que nem tudo seria exatamente como eu gostaria. Não ficar enredada no projeto durante esse período de cinco anos fez valer a pena o fato de precisar tolerar algumas coisas (muito poucas) que não me agradavam muito.

Descobri que posso fazer tudo sozinha e ter a vida cheia de estresse e pressão ou posso confiar nas pessoas e lhes conferir autoridade. Existem outras maneiras (além da minha) de fazer as coisas. Podemos chegar todos ao mesmo lugar por um caminho diferente, mas isso não importa tanto, desde que cheguemos ao nosso destino. Eu o encorajo a dar poder às pessoas para ajudá-lo, mas não lhes dê responsabilidade sem autoridade. Se você agir assim, isso as frustrará, e no fim elas não serão capazes de fazer o que você realmente queria que fizessem.

Seja o que for que precise ser feito em nossas vidas, há pessoas ungidas para isso. Na verdade, se não permitirmos que elas façam a parte que Deus as enviou para fazer, elas ficarão frustradas e nós também.

Quando chegou a hora de decorar o prédio, fiquei muito envolvida, mas era um projeto de curto prazo e algo de que eu gostava. Fiquei de fora do restante e meu marido fez um trabalho fora de série.

Todos nós devemos ocasionalmente fazer um inventário das nossas atividades, e nos certificarmos de que estamos nos dedicando às nossas prioridades. Se descobrirmos que ficamos enredados em algo que não está dando frutos para nós ou para Deus, precisamos nos reajustar e voltar a deixar que o principal seja o principal.

*Capítulo 4*

## MANTENHA SEUS OLHOS EM DEUS

Gideão mandou os israelitas para as suas tendas, mas reteve os trezentos. E estes ficaram com as provisões e as trombetas dos que partiram. O acampamento de Midiã ficava abaixo deles, no vale. Naquela noite o Senhor disse a Gideão: Levante-se e desça ao acampamento, pois vou entregá-lo nas suas mãos. Se você está com medo de atacá-los, desça ao acampamento com o seu servo Pura e ouça o que estiverem dizendo. Depois disso você terá coragem para atacar.

Então ele e o seu servo Pura desceram até os postos avançados do acampamento. Os midianitas, os amalequitas e todos os outros povos que vinham do leste haviam se instalado no vale; eram numerosos como nuvens de gafanhotos. Assim como não se pode contar a areia da praia, também não se podia contar os seus camelos.

Gideão chegou bem no momento em que um homem estava contando seu sonho a um amigo. "Tive um sonho", dizia ele. "Um pão de cevada vinha rolando dentro do acampamento midianita, e atingiu a tenda com tanta força que ela tombou e desmontou."

*Juízes 7:8-13*

Aqui vemos Gideão recebendo a palavra que ele precisava de Deus — só que desta vez ela vem através de um sonho. Gideão precisava dessa palavra de encorajamento porque de um exército de 32 mil homens lhe restavam apenas 300. O exército oponente era uma grande multidão cujo acampamento se espalhava até tão longe que parecia as areias do mar. O sonho revelou a Gideão que o acampamento do inimigo seria esmagado e destruído por meios sobrenaturais.

*Fase 4 — O Senhor Traz Libertação*

Na versão da *Amplified Bible*, em língua inglesa, há uma nota de rodapé que faz referência ao pão de cevada (versículo 13), que diz: "Fazendo alusão à insignificância de Gideão e de sua família, ou talvez de toda a sua tropa. A cevada, então, como ainda é hoje, era distinta da 'boa farinha'." A nota de rodapé inclui uma citação do Bispo Joseph Hall, que é citado pela Bíblia de Cambridge (modernizamos a linguagem): "O fato de ouvir falar sobre si mesmo como sendo um bolo de cevada, não o perturbou. Não importa o quanto nos julgam inferiores, desde que sejamos vitoriosos."

Isso deveria nos encorajar a não precisarmos de muita coisa na esfera natural para vencer nossas batalhas. Não precisamos fazer uma lista dos nossos recursos naturais. Tudo que precisamos fazer é manter os nossos olhos em Deus.

Deus mostrou a Gideão que assim como um bolo de cevada insignificante podia ser usado para esmagar o acampamento do inimigo, ele também poderia ser usado. O Senhor não estava tentando insultar Gideão. Estava tentando colocá-lo no lugar onde todos nós precisamos estar, onde sabemos que sem Deus, nada poderíamos fazer.

## RECEBA A PALAVRA E ADORE

Seu amigo respondeu: "Não pode ser outra coisa senão a espada de Gideão, filho de Joás, o israelita. Deus entregou os midianitas e todo o acampamento nas mãos dele."

Quando Gideão ouviu o sonho e a sua interpretação, adorou a Deus. Voltou para o acampamento de Israel e gritou: "Levantem-se! O Senhor entregou o acampamento midianita nas mãos de vocês."

*Juízes 7:14-15*

Assim que Gideão recebeu essa palavra da parte de Deus, começou a falar sobre a batalha como se ela já tivesse sido ganha. Passou a

*Capítulo 4*

louvar e adorar a Deus como se a vitória já fosse um fato consumado. Gideão não esperou para ver os resultados da batalha antes de proclamar o triunfo do Senhor.

Ainda fico impressionada ao ver com que frequência as pessoas a quem Deus usava paravam para adorar. Esse fato me ensinou uma grande lição, e oro para que tenha o mesmo efeito sobre você ao ler este livro. Não devemos ser como os leprosos que pediam cura, mas 90% deles não tinham tempo de parar e dar louvor. Só um entre os dez voltou para agradecer. Jesus disse: "... mas onde estão os nove?" Em outras palavras, Ele percebe quando deixamos de adorá-lo.

No livro de Êxodo, os israelitas cantaram o cântico correto depois de atravessarem o Mar Vermelho enquanto seus inimigos se afogavam: "... [O Senhor] Lançou no mar o cavalo e o seu cavaleiro" (Êxodo 15:1, RA). Mas eles cantaram do lado errado do rio. Todos estavam bastante entusiasmados. Levavam seus pandeiros e estavam cantando e dançando. Fizeram uma longa dissertação sobre a grandeza de Deus. Mas isso aconteceu depois de verem a manifestação do Seu poder. Cantaram o cântico certo, mas do lado errado do rio.

Certamente seria uma tragédia não louvar e adorar depois das vitórias, mas Gideão fez a coisa certa ao adorar antes. Ele só havia ouvido falar sobre a vitória de Deus, e começou a adorar. Esse tipo de comportamento corresponde a andar uma segunda milha, e chama a atenção de Deus.

Creio que vemos por que os israelitas perambularam pelo deserto por tanto tempo se observarmos o seu padrão de adoração. Se tivessem cantado o cântico certo no meio do deserto, não teriam ficado ali por quarenta anos. Provavelmente teriam atravessado o Mar Vermelho e estariam vivendo na Terra Prometida por volta de duas semanas depois. Está realmente registrado em Deuteronômio que eles levaram quarenta longos anos para fazer uma jornada de onze dias.

*Fase 4 — O Senhor Traz Libertação*

Meu pensamento se iluminou quando percebi quantas pessoas foram até Jesus em busca de cura, curvando-se e adorando-o antes de pedirem qualquer coisa.

> Quando ele desceu do monte, grandes multidões o seguiram. Um leproso, aproximando-se, adorou-o de joelhos e disse: "Senhor, se quiseres, podes purificar-me!"
>
> Jesus estendeu a mão, tocou nele e disse: "Quero. Seja purificado!" Imediatamente ele foi purificado da lepra.
>
> *Mateus 8:1-3*

> Uma mulher cananéia, natural dali, veio a ele, gritando: "Senhor, Filho de Davi, tem misericórdia de mim! Minha filha está endemoninhada e está sofrendo muito."
>
> Mas Jesus não lhe respondeu palavra. Então seus discípulos se aproximaram dele e pediram: "Manda-a embora, pois vem gritando atrás de nós." Ele respondeu: "Eu fui enviado apenas às ovelhas perdidas de Israel." A mulher veio, adorou-o de joelhos e disse: "Senhor, ajuda-me!" Ele respondeu: "Não é certo tirar o pão dos filhos e lançá-lo aos cachorrinhos."
>
> Disse ela, porém: "Sim, Senhor, mas até os cachorrinhos comem das migalhas que caem da mesa dos seus donos." Jesus respondeu: "Mulher, grande é a sua fé! Seja conforme você deseja." E naquele mesmo instante a sua filha foi curada.
>
> *Mateus 15:22-28*

> Quando chegaram onde estava a multidão, um homem aproximou-se de Jesus, ajoelhou-se diante dele e disse: "Senhor tem misericórdia do meu filho. Ele tem ataques, e

*Capítulo 4*

está sofrendo muito. Muitas vezes cai no fogo ou na água. Eu o trouxe aos teus discípulos, mas eles não puderam curá-lo."

Respondeu Jesus: "Ó geração incrédula e perversa, até quando estarei com vocês? Até quando terei que suportá-los? Tragam-me o menino."

Jesus repreendeu o demônio; este saiu do menino que, daquele momento em diante, ficou curado.

*Mateus 17:14-18*

Continuamos vendo, através destes exemplos, que a adoração vem antes da vitória.

## DEIXE O SENHOR LUTAR A BATALHA

Dividiu os trezentos homens em três companhias e pôs nas mãos de todos eles trombetas e jarros vazios, com tochas dentro. E ele lhes disse: "Observem-me. Façam o que eu fizer. Quando eu chegar à extremidade do acampamento, façam o que eu fizer. Quando eu e todos os que estiverem comigo tocarmos as nossas trombetas ao redor do acampamento, toquem as suas, e gritem: Pelo Senhor e por Gideão!"

Gideão e os cem homens que o acompanhavam chegaram aos postos avançados do acampamento pouco depois da meia-noite, assim que foram trocadas as sentinelas. Então tocaram as suas trombetas e quebraram os jarros que tinham nas mãos; as três companhias tocaram as trombetas e despedaçaram os jarros. Empunhando as tochas com a mão esquerda e as trombetas com a direita, gritaram: "À espada, pelo Senhor e por Gideão!"

*Juízes 7:16-20*

*Fase 4 — O Senhor Traz Libertação*

Na versão *Amplified Bible*, o versículo 20 diz: "As três companhias tocaram as trombetas e despedaçaram os jarros. Empunhando as tochas com a mão esquerda e as trombetas com a direita, [não lhes deixando a chance de usarem as espadas], gritaram: 'À espada, pelo Senhor e por Gideão!'" Observe a frase "não lhes deixando a chance de usarem as espadas". Quando Deus enviou cada homem do minúsculo exército de Gideão para guerrear com um exército grandemente superior de midianitas, Ele colocou deliberadamente algo em ambas as mãos de cada homem de modo que o homem não podia ajudar a si mesmo — ele não podia sacar a espada e começar a lutar por si só. Deus enviou 300 homens destemidos e focados no que foram chamados para fazer, e Ele os enviou com algo em cada uma das mãos para que eles não pudessem lutar sua própria batalha — eles precisavam depender dele para lutar a batalha por eles. Tudo que eles tinham de fazer era quebrar um jarro, segurar uma tocha, e gritar: "À espada, pelo Senhor e por Gideão!" Em outras palavras, eles só precisavam segurar bem alto a luz e louvar o Senhor.

As instruções dadas a Gideão eram diferentes das dadas a Josafá. É por isso que precisamos ouvir Deus em cada situação por nós mesmos. Não podemos simplesmente fazer o que outra pessoa fez. Embora possa ter funcionado para ela, nem sempre funcionará para nós.

## O QUE ACONTECEU?

Cada homem mantinha a sua posição em torno do acampamento, e todos os midianitas fugiam correndo e gritando. Quando as trezentas trombetas soaram, o Senhor fez que em todo o acampamento os homens se voltassem uns contra os outros com suas espadas. Mas muitos fugiram para Bete-Sita, na direção de Zererá, até a fronteira de Abel-Meolá, perto de Tabate.

*Juízes 7:21-22*

*Capítulo 4*

O que aconteceu foi o mesmo que aconteceu com Josafá. Quando o exército do Senhor fez o que Deus lhe disse para fazer, da maneira como Deus os instruiu, os soldados do exército inimigo começaram a matar uns aos outros.

Mais uma vez, o plano de batalha de Deus, quando colocado em ação pela fé, foi totalmente vitorioso.

# PARTE 2

# Transformado Pela Adoração

## Capítulo 5

# Elias Permaneceu na Posição

Elias era humano como nós. Ele orou fervorosamente para que não chovesse, e não choveu sobre a terra durante três anos e meio. Orou outra vez, e os céus enviaram chuva, e a terra produziu os seus frutos.

*Tiago 5:17-18*

**Em 1 Reis 17:1**, Elias, o profeta do Senhor, disse ao mau rei Acabe que não cairia chuva sobre a terra de Israel durante aqueles anos, mas seria de acordo com a Palavra do Senhor.

Durante todo aquele tempo de seca, Deus cuidou de Elias. Primeiramente, Ele o escondeu próximo ao ribeiro de Querite e enviou corvos para levar-lhe comida (versículos 2 a 6). Depois, quando o ribeiro secou e não havia água para Elias beber, Deus o enviou a Sarepta à casa de uma pobre viúva, onde supriu as necessidades de Elias, da viúva e do seu filho pequeno de forma milagrosa, até Ele decidir mandar chuva sobre a terra mais uma vez (versículos 7 a 24).

Depois desses anos, o Senhor enviou Elias de volta ao rei Acabe para lhe dizer que ia chover novamente. Acabe era um homem muito mau, e onde existe maldade sempre haverá seca e fome

*Capítulo 5*

de alguma espécie. Quando as pessoas não estão servindo a Deus, sempre sofrerão alguma privação, tanto espiritual quanto física.

## A MENSAGEM DE ELIAS A ACABE

> E Elias disse a Acabe: "Vá comer e beber, pois já ouço o barulho de chuva pesada."
>
> *1 Reis 18:41*

Deus havia trazido a seca e a fome a Israel para mostrar o Seu poder a Acabe. Ele estava dizendo a Acabe e à sua cruel mulher, Jezabel, que eles precisavam mudar os seus caminhos perversos, e se não o fizessem, as circunstâncias não seriam boas.

Depois de três anos de fome, Ele enviou o Seu profeta Elias para se apresentar a Acabe e lhe dizer que iria chover.

Então Elias foi e disse a Acabe: "É melhor se preparar porque ouço o som de abundante chuva. É melhor se preparar porque vai haver uma chuva torrencial."

Acabe e Jezabel não podiam suportar a presença de Elias porque ele era um profeta e um servo de Deus. Você já percebeu como as pessoas más odeiam você sem motivo algum que você possa identificar? Elas o odiarão só por você representar Aquele contra quem estão se rebelando. Elias se apresentou a Acabe, e só isso foi o suficiente para deixar Acabe enfurecido. Embora ele quisesse chuva, Acabe não queria que Elias estivesse certo ou fosse aquele que parecia estar no controle.

Não creio que Elias tenha realmente ouvido o som da chuva no âmbito natural. Ele o ouviu no espírito e pela fé, mas não na dimensão natural. Elias estava ouvindo o Espírito de Deus; ele acreditava no que disse e começou a agir com base nisso *antes* de ver a manifestação.

## ANUNCIE PARA O DIABO

Assim como Elias anunciou, ou profetizou, para Acabe, o rei mau, que iria chover, nós também precisamos anunciar para o diabo o que vai acontecer em nossa vida de acordo com a Palavra de Deus.

Diga coisas como: "Satanás, vou lhe dizer agora mesmo que você pode vir contra mim por um caminho, mas vai fugir de mim por sete caminhos. Agora mesmo pode parecer que teve vitória, mas você cometeu um grave erro ao escolher a pessoa errada. Eu pertenço a Deus, e Ele cuida dos Seus."

Faz algum tempo, meu marido Dave e eu passamos por uma fase na qual enfrentamos muitas provações e elas se levantaram todas ao mesmo tempo. Um dia Dave entrou e anunciou: "O diabo pode pensar que está tendo um dia de apogeu, mas em breve estará gritando: 'Socorro! Socorro!'"

Esta é a atitude e a posição que todos nós devemos assumir quando enfrentamos o inimigo e seus ataques contra nós. Em vez de ouvirmos Satanás nos dizer todas as coisas terríveis que vão nos acontecer, devemos começar a anunciar a ele todas as coisas boas que Deus planejou para as nossas vidas e todas as coisas terríveis que irão acontecer a ele.

Quando o Senhor decidiu que aquele era o momento de enviar chuva à terra novamente, a primeira coisa que Ele fez foi mandar o Seu profeta Elias para anunciar ao rei Acabe o que Ele estava para fazer pelo Seu povo.

Você precisa anunciar a "Acabe", isto é, ao diabo. Não anuncie a todos os seus amigos o que o diabo lhe fez; anuncie a ele o que Deus vai fazer com você e com ele. Lembre Satanás de que Deus é justo e Ele fará justiça na sua vida; Ele consertará tudo que está errado. Diga-lhe que se ele ficar andando atrás de você, tudo que vai ouvir serão canções, risos, a Palavra de Deus, louvor, adoração e ações de graças.

*Capítulo 5*

Aprenda a responder ao diabo. Ele fica ocupado falando conosco, mas quando começarmos a responder, ele se calará!

## MANTENHA A SUA POSIÇÃO

Então Acabe foi comer e beber, mas Elias subiu até o alto do Carmelo, dobrou-se até o chão e pôs o rosto entre os joelhos. "Vá e olhe na direção do mar", disse ao seu servo. E ele foi e olhou. "Não há nada lá", disse ele. Sete vezes Elias mandou: "Volte para ver."

Na sétima vez o servo disse: "Uma nuvem tão pequena quanto a mão de um homem está se levantando do mar." Então Elias disse: "Vá dizer a Acabe: Prepare o seu carro e desça, antes que a chuva o impeça." Enquanto isso, nuvens escuras apareceram no céu, começou a ventar e a chover forte, e Acabe partiu de carro para Jezreel.

O poder do Senhor veio sobre Elias, e ele, prendendo a capa com o cinto, correu à frente de Acabe por todo o caminho até Jezreel.

*1 Reis 18:42-45*

Depois de anunciar a Acabe o que estava para acontecer, que haveria abundância de chuva, Elias subiu ao topo do Monte Carmelo. Ali ele ficou de joelhos com a testa no chão.

Nessa posição de adoração, Elias mandou o seu servo correr várias vezes ir e voltar, para ver se começava a chover.

Por sete vezes o seu servo voltou com um relato negativo, mas Elias não saiu daquela posição. Imagine como Elias deve ter se sentido cada vez que o relato voltava informando que nada estava acontecendo: "Não há nem uma nuvem lá fora." Mas todas as vezes Elias dizia simplesmente: "Volte lá." Apesar dos repetidos relatos negativos, Elias nunca desistiu. Tudo que fez foi ficar bem ali onde estava — adorando a Deus.

A adoração fortalece a nossa fé. A dúvida poderia ter feito Elias desistir, mas a adoração o manteve forte. Romanos 4 nos diz que Abraão não tinha absolutamente nenhuma razão humana para ter esperança. A dúvida e a incredulidade se levantaram contra ele, mas não o derrotaram. Ele tornou-se forte enquanto dava louvor e glória a Deus. A mesma coisa (louvor e adoração) parece funcionar para todos a respeito dos quais lemos na Bíblia; portanto, certamente podemos acreditar que também funcionará para nós.

O servo de Elias pode ter lhe dito: "Elias, você deve ter deixado de ouvir a voz de Deus desta vez, porque nada está acontecendo; não há sequer uma nuvem lá fora." Mas a cada vez, Elias dizia simplesmente: "Volte lá." Ele se recusou a desistir!

Por fim, o servo de Elias voltou e relatou: "Bem, vejo uma pequena nuvem do tamanho da mão de um homem."

Diante dessa palavra, Elias se levantou gritando: "Aleluia! Vá dizer a Acabe para se apressar e ir para casa e procurar abrigo porque está começando a chover!"

Quando você adorar a Deus, Ele enviará uma chuva do Espírito Santo sobre você, e ela afogará todos os "Acabes" e todos os "-itas" da sua vida. Simplesmente tome a sua posição e louve o Senhor, dando a Ele toda a glória antes mesmo de ver qualquer mudança, assim como depois de haver experimentado a reviravolta pela qual você espera.

Se fizer isso, se você pegar a Palavra do Senhor que está recebendo deste livro e aplicá-la em sua vida consistentemente, posso lhe garantir que você será abençoado e verá mudanças positivas em sua vida. Se quiser ter vitória sobre todo o poder do inimigo, aprenda a seguir o maravilhoso plano de batalha de Deus.

# Capítulo 6

# Não Lute, Adore

Pois a nossa luta não é contra seres humanos...

*Efésios 6:12*

**Na guerra espiritual,** precisamos nos lembrar de que guerreamos contra Satanás e seus demônios, e não contra a carne e o sangue — isto é, contra outras pessoas.

Gostaria de acrescentar que não apenas a nossa guerra não é contra as pessoas que nos cercam, como também não é contra nós mesmos.

Provavelmente a maior guerra que enfrentamos é aquela que lutamos contra nós mesmos e com respeito a nós mesmos, lutando contra a posição em que nos encontramos espiritualmente comparada com aquela em que achamos que precisaríamos estar. Podemos viver maus momentos pensando que precisávamos ter realizado mais na vida do que realizamos; podemos nos sentir um fracasso financeiro ou muitas outras coisas do tipo. Mas uma coisa é fato: não mudaremos em nada a situação ficando frustrados e nos desgastando. Lembre-se de que só Deus pode lutar as nossas batalhas e vencer. Este tipo de batalha é diferente, mas não deixa de ser uma

*Capítulo 6*

batalha, e é preciso lidar com ela da mesma forma que lidamos com o restante das nossas batalhas.

É muito difícil chegar ao ponto de podermos ser sinceros para com nós mesmos no que diz respeito ao nosso pecado e nossas falhas, nossas incapacidades e falibilidades, e ainda assim saber que estamos em paz com Deus porque Jesus nos justificou quando morreu por nós e ressuscitou dos mortos. Quem somos em Cristo é diferente do que fazemos quando entramos em ação e deve ser analisado de duas maneiras diferentes.

A salvação é a nossa bênção mais incrível. No entanto, sinto que existem muitos cristãos que chegarão ao céu por terem nascido de novo, mas sem nunca terem se beneficiado realmente da jornada, pois nunca aprenderam a desfrutar de si mesmos e de Deus.

O motivo pelo qual nunca apreciam suas próprias vidas é por estarem em uma guerra interna particular consigo mesmos contra todas as suas deficiências. O motivo pelo qual nunca desfrutam seu relacionamento com Deus é porque na maior parte do tempo ainda sentem que, de alguma forma, Deus está insatisfeito com eles, até zangado com eles, por causa das suas falhas. Estão sempre lutando consigo mesmos, sempre guerreando, sempre se desgastando.

Se você está em uma guerra consigo mesmo, esta palavra da parte do Senhor é especialmente para você.

## VOCÊ É UMA PROVAÇÃO PARA SI MESMO?

Certa vez fiz um estudo intitulado "Você se tornou uma provação para si mesmo?"

Estamos sempre falando sobre as nossas muitas provações, mas em geral a nossa maior provação somos nós mesmos. Temos mais problemas conosco do que com o diabo ou com qualquer outra pessoa desta terra.

Anteriormente, neste livro, já discutimos sobre o poder da adoração. Aqui, vamos continuar a examinar esse mesmo assunto, porém examinaremos mais especificamente como podemos ser transformados enquanto adoramos e contemplamos a Deus — não enquanto olhamos para nós mesmos, contabilizando as nossas muitas falhas — mas enquanto olhamos para Ele.

## ESTAMOS MUDANDO

> E todos nós, com o rosto desvendado, contemplando, como por espelho, a glória do Senhor, somos transformados, de glória em glória, na sua própria imagem, como pelo Senhor, o Espírito.
>
> *2 Coríntios 3:18, RA*

Quero mudar, e estou certa de que você também. Quero ver mudanças no meu comportamento. Quero ver um progresso regular. Por exemplo, quero ter mais estabilidade; quero andar em uma maior medida de amor e de todos os outros frutos do Espírito. Quero ser bondosa e boa para com os outros, mesmo que eu não me sinta bem ou não esteja tendo um dia especialmente bom. Mesmo quando as coisas se levantarem contra mim e eu não esteja conseguindo o que quero na vida, ainda quero ser estável e demonstrar o caráter de Jesus Cristo.

Não podemos fazer isso sozinhos, mas recebemos o Auxiliador, o próprio Espírito Santo, para nos ajudar no nosso empreendimento de sermos semelhantes a Jesus. Lembre-se de que não podemos fazer nada sozinhos.

Através do poder do Espírito Santo dentro de nós, somos capazes de ser doces, gentis e amáveis, mesmo quando as coisas não estão acontecendo do jeito que gostaríamos. Podemos permanecer calmos quando tudo ao nosso redor parece estar de pernas para o ar, quando tudo parece estar conspirando contra nós para fazer com que percamos a nossa paciência e fiquemos irados e irritados.

*Capítulo 6*

Há alguns anos nosso filho mais novo tirou sua carteira de motorista. Nós o havíamos ajudado a comprar um carro, e estava na garagem esperando por ele antes mesmo de ele poder dirigir, por essa razão ele estava muito ansioso para começar a dirigir sozinho.

Na verdade, como qualquer outro jovem, ele tinha planos de dirigir o seu carro para algum lugar na primeira noite em que estava com a sua carteira. Queria dirigir até um grupo de estudo bíblico com o qual estava envolvido, em outra área da cidade. Era uma longa distância, e Dave lhe disse que não queria que ele fosse dirigindo até lá porque estava nevando lá fora.

Ele perguntou se podia voltar para casa, pegar o carro e sair depois do estudo bíblico, e dissemos que ele provavelmente poderia fazer isso. Entretanto, estava nevando ainda mais forte quando ele voltou para casa, e, mais uma vez, ele precisou lidar com a decepção quando lhe dissemos que não poderia sair com o carro.

Ele chamou um amigo para dormir em nossa casa naquela noite, e eles tinham planos de levantar cedo na manhã seguinte e sair com o carro. Quando Dave se levantou e se vestiu, os meninos já estavam com o carro na porta da garagem, preparando-se para partir. Dave tinha de ir a algum lugar, e saiu na frente deles. Quando ele pegou a estrada, percebeu que estava escorregadia por causa da neve, e, na verdade, ainda estava nevando. Dave me telefonou e me disse para dizer a Danny que ele não poderia sair com o carro. Eu realmente não queria ser a portadora das más notícias, então passei o telefone para Danny e deixei que seu pai lhe dissesse que ele tinha de ficar em casa. É claro que Danny ficou muito decepcionado e, àquela altura, ficou realmente zangado. Ele queria porque queria pegar o carro, embora lá no fundo eu tenha certeza de que ele entendia que não era muito sábio.

Contei-lhe esta história para retratar bem nossa reação normal quando não conseguimos as coisas do nosso jeito. Nossas emoções se agitam e começam a voar em todas as direções.

*Não Lute, Adore*

Eu disse a Danny para simplesmente permanecer amável. Eu lhe disse: "Este é apenas um dia na sua vida. Você terá muitos outros dias para dirigir o seu carro." Tentei falar com ele sobre como Deus nos testa e nos leva ao limite através desses testes, em geral nos preparando para bênçãos futuras. O meu encorajamento parece não ter ajudado muito, mas sabia exatamente como ele se sentia porque eu mesma passei por isso centenas de vezes, e é provável que você também já tenha passado.

Um dos meus objetivos pessoais é permanecer amável, mesmo quando não consigo o que quero. Melhorei muito ao longo dos anos, mas posso testemunhar que não fiz nenhum progresso positivo até aprender que não conseguiria mudar a mim mesma. Precisei buscar a Deus e assumindo minha posição de esperar nele e adorá-lo, aprendendo que Ele lutaria essa batalha por mim.

Precisei passar por muitas mudanças. Sofri abuso sexual, mental e emocional durante a infância, e tinha muitos problemas em consequência desse tratamento. Era rebelde para com as figuras de autoridade, principalmente a autoridade masculina. Tinha uma atitude negativa. Não confiava nas pessoas. Sentia pena de mim mesma e tinha uma tristeza profunda. Entre muitos outros problemas, eu me sentia como se o mundo me devesse alguma coisa.

Não passe sua vida tentando cobrar o que lhe é devido de alguém que nunca poderá lhe pagar. Deus diz que Ele será nosso Vingador, nossa Recompensa. Ele realmente promete nos dar bênçãos dobradas pelos nossos problemas anteriores, mas precisamos colocar nossa confiança nele e não tentar fazer as coisas acontecerem por nós mesmos.

Sim, eu tinha muitos problemas, mas quando olho para trás ao longo dos anos, vejo que mudei muito. Meu marido, Dave, testemunharia prontamente sobre isso. Quando nos casamos, em 1966, se ele me deixasse zangada eu poderia ficar sem falar uma palavra com ele durante duas ou três semanas. Agora, não consigo suportar

*Capítulo 6*

ficar zangada por mais de alguns minutos. Cresci em um lar no qual todos eram controlados pela raiva e pelo medo, de modo que essa era a única maneira que eu conhecia de reagir quando não conseguia o que queria. Mas Deus me ensinou novas maneiras de agir e reagir.

Eu mudei, mas não até ter sofrido primeiro por muitos anos lutando comigo mesma — não gostando de mim mesma, sentindo-me como se Deus estivesse zangado e insatisfeito comigo. Eu me sentia culpada e condenada o tempo todo; na verdade, isso era um grande tormento. Eu literalmente nunca estava relaxada.

Realmente tentava mudar, mas tinha muito poucos resultados ou nenhum, e depois, com o decorrer do tempo, aprendi acerca da graça de Deus e que Ele nos transforma por meio da Sua graça, e não através do nosso esforço.

Quando olho para trás, ao longo dos anos, percebo que percorri um longo caminho, mas isso aconteceu pouco a pouco. É assim que Deus nos transforma. Ele nos revela algo e depois espera até decidirmos confiar nele com relação àquilo antes de trabalhar em nós o Seu caráter naquela área.

O tempo necessário para que as mudanças aconteçam depende de 1) quanto tempo levamos para concordar com Deus sobre realmente termos o problema que Ele diz que temos; 2) quanto tempo levamos para parar de dar desculpas, colocando a culpa em outra pessoa; 3) quanto tempo passamos estudando Sua Palavra, esperando nele e adorando-o, realmente acreditando que Ele está operando em nós enquanto o buscamos.

Deus está sempre tentando trabalhar em nós, nas nossas famílias e circunstâncias. Ele está sempre presente. Ele se chama "EU SOU". Ele não é "Eu fui" ou "Eu serei", mas "EU SOU", presente neste instante e pronto para operar em nossas vidas. Ele é um cavalheiro e não forçará a Sua entrada em nossas vidas; Ele precisa ser convidado. À medida que descansamos sob a Sua poderosa mão, Ele começa a nos remodelar de acordo com a Sua intenção original an-

*Não Lute, Adore*

tes de o mundo ter nos estragado. Ele definitivamente fará um bom trabalho, se nos entregarmos em Suas poderosas mãos.

## LIBERANDO DEUS

Liberamos Deus para trabalhar à medida que liberamos nossa fé. Deus pode transformá-lo enquanto você lê este livro, basta confiar nele para fazer isso. Ele trabalhará em você e na situação que o aflige enquanto você permanece sentado em Sua Presença e dela desfrutando.

Nós nos esforçamos e trabalhamos duro tentando mudar a nós mesmos. Às vezes ficamos furiosos conosco e até nos odiamos por causa da nossa maneira de ser.

Nossa filha mais moça, Sara, foi transformada de forma dramática e permanente na primeira vez que me ouviu pregar a mensagem "A Batalha Pertence ao Senhor". Ela percebeu que não estava de forma alguma confiando em Deus para transformá-la. Estava zangada consigo mesma na maior parte do tempo por causa das suas imperfeições, mas essa raiva saía dela de tal forma que fazia os outros pensarem que estava zangada com eles. Sara odiava aquele mau humor, aquela raiva e aquela irritação, mas parecia impotente para mudar até ouvir essa mensagem.

Ela testemunha que começou a chorar quase incontrolavelmente enquanto ouvia a mensagem durante uma conferência em que a preguei pela primeira vez. Percebeu que não estava adorando a Deus nem confiando nele; em vez disso, queria transformar a si mesma para poder se sentir bem com isso e ter orgulho. Ela teve uma libertação poderosa naquela noite e tem aplicado esses princípios desde então, com bons resultados.

Algumas pessoas são consumidas pelo desejo de serem vistas como perfeitas. Elas se odeiam todas as vezes que cometem um erro. Esse ódio e rejeição por si mesmo se tornam um enorme problema.

*Capítulo 6*

Uma atitude desse tipo não apenas gera problemas nelas mesmas e no seu relacionamento com Deus, mas também gera problemas nos relacionamentos com as outras pessoas. Todos os nossos relacionamentos começam com o fundamento de como nos sentimos com relação a nós mesmos. Se não sabemos conviver com nós mesmos, também não saberemos conviver com ninguém mais.

Creio que um dos meus papéis como mestra e escritora não é apenas ajudar as pessoas a mudar, mas também ajudá-las a aprender a desfrutar o momento que estão vivendo enquanto estão a caminho do seu futuro. Na verdade, escrevi um livro inteiro sobre este assunto.

Creio que a maior tragédia na vida é viver e não desfrutar a vida. Se você está guerreando consigo mesmo o tempo todo, não está desfrutando sua vida. Uma vez que a Bíblia diz que a nossa luta não é contra a carne e o sangue, sua guerra não é consigo mesmo. Ela é contra os principados e potestades que construíram fortalezas na sua vida por meio do engano nos anos que se passaram. Esses enganos estão sendo descobertos regularmente pela verdade da Palavra de Deus. A Bíblia diz que a verdade nos libertará se continuarmos nela. Atenha-se ao plano de batalha de Deus, e você irá amar os resultados.

Deus nos transforma de um nível de glória para outro, mas não se esqueça de desfrutar a glória em que você se encontra neste mesmo instante enquanto se dirige para a próxima. Não compare a glória na qual você está com a glória de algum amigo ou membro da família que parece estar em um nível maior de glória. Cada um de nós é um indivíduo, e Deus trata conosco de forma diferente, de acordo com o que Ele sabe que nós precisamos e podemos suportar.

Talvez você não perceba as mudanças diárias, mas à medida que olhar para trás ao longo dos anos, verá mudanças muito claras em si mesmo. Quero avivar sua fé para que mesmo quando não enxergar as mudanças, você creia que Deus está trabalhando, assim como Ele disse que faria. Precisamos ser como Elias e nos recusarmos a desistir até vermos os resultados. Quando o diabo ou mesmo os amigos nos disserem que não estamos mudando, devemos simplesmente continuar a esperar em Deus e a adorá-lo, ignorando o seu relato desanimador.

Lembre-se de que vemos de acordo com o que cremos, *depois* de crermos e não *antes* disso. Nós nos esforçamos e lutamos com nós mesmos por causa de tudo o que não somos quando deveríamos estar louvando e adorando a Deus por tudo o que somos. À medida que o adoramos por quem Ele é, vemos coisas que jamais conseguiríamos fazer acontecendo e sendo liberadas em nossas vidas.

À medida que adoramos a Deus, somos libertos da frustração. Todas aquelas questões emocionais, complexas e fechadas que precisam ser eliminadas de nós começam a desaparecer. À medida que adoramos, o caráter de Deus é liberado em nossas vidas e começa a se manifestar.

Uma de minhas dificuldades era ser mansa. Eu era uma pessoa mais do tipo áspero, inflexível e obstinada. Poderia pedir a alguém para levar o lixo para fora e acabar parecendo um sargento do exército dando ordens. Não queria ser assim, mas por mais que tentasse mudar, as pessoas sempre estavam me perguntando por que eu precisava falar de um jeito tão duro e ríspido.

Fui tratada da mesma forma quando criança, e por isso eu também me tornei assim. Quando estudei o caráter de Deus, aprendi que Ele não era assim, e eu, certamente também não queria ser, mas não conseguia mudar. O motivo pelo qual não conseguia era por estar tentando mudar a mim mesma. Eu não confiava em Deus para fazer isso. Havia me tornado alguém que *faz* em vez de alguém que *crê*.

Todos os dias eu tinha o meu plano, e quando não funcionava (o que acontecia o tempo todo), eu ficava mais irada comigo mesma do que no dia anterior. Desse modo, em alguns casos, para

*Capítulo 6*

mim, aprender a Palavra de Deus era realmente um tormento. Antes de começar a estudar a Palavra de Deus, eu tinha problemas, mas não sabia disso. Achava que todo mundo tinha alguma dificuldade, menos eu. Depois de estudar a Palavra de Deus, aprendi que eu tinha dificuldades, e muitas, mas que eu ainda era impotente para mudar isso até que, à medida que continuei estudando a Palavra de Deus, descobri o Seu plano de batalha. É por isso que precisamos continuar na Palavra de Deus se quisermos ser libertos.

Se eu tivesse desistido cedo demais e não tivesse continuado na Palavra de Deus, teria sido uma pessoa muito infeliz. Graças a Deus, pois mesmo quando queremos desistir, Ele não permite que o façamos. Ele permanece fiel, mesmo quando somos infiéis (2 Timóteo 2:13).

Como disse, quando adoramos a Deus pelos Seus atributos, eles são liberados em nossas vidas. Por acaso, um desses atributos é justamente a mansidão. Adivinhe o que aconteceu? À medida que eu adorava a Deus por Quem Ele era, mudei, e não sou mais áspera.

Se você não é como deseja ser em alguma área da sua vida, comece a adorar a Deus nessa área. À medida que você o adora por qualquer um dos atributos do Seu caráter — a Sua fidelidade, lealdade, bondade, benignidade, amor, graciosidade, temperança, lentidão em se irar, abundância de misericórdia, paciência — seja qual for o motivo da Sua adoração, este atributo começará a se manifestar em seu próprio caráter.

## NOSSO OBJETIVO:
## SER SEMELHANTES A CRISTO

Pois aqueles que de antemão conheceu, também os predestinou para serem conformes à imagem de seu Filho, a fim de que ele seja o primogênito entre muitos irmãos.

*Romanos 8:29*

*Não Lute, Adore*

O nosso objetivo número I na vida como cristãos deveria ser nos tornarmos semelhantes a Cristo. Jesus é a imagem expressa do Pai, e nós devemos seguir Suas pegadas. Ele veio como um pioneiro da nossa fé para nos mostrar pelo exemplo como devemos viver e conduzir nossas vidas.

Devemos procurar nos comportar com as pessoas como Jesus fazia. O nosso objetivo não é ver o quanto podemos ter êxito nos negócios ou o quanto podemos ser famosos. Não é a prosperidade, a popularidade ou mesmo construir um grande ministério, mas ser semelhantes a Cristo.

O mundo não precisa apenas de um sermão que lhe seja pregado; também precisa ver ações que sustentem o que dizemos e cremos como cristãos. Nossas vidas deveriam tornar as pessoas famintas e sedentas pelo que temos em Cristo. A Bíblia se refere a nós como sal, que deixa as pessoas sedentas, e luz, que expõe as trevas.

Muitos cristãos têm adesivos no porta-malas do carro ou usam alguma bijuteria que indica que eles são crentes em Jesus Cristo. O mundo não se impressiona com os adesivos nos nossos carros e com as bijuterias cristãs; eles querem ver os frutos de um comportamento piedoso.

Querem ver pessoas que afirmam ser cristãs vivendo o que pregam, e não apenas pregando aos outros enquanto o que pregam parece não estar funcionando em suas próprias vidas.

A Bíblia nos fala de mudança. Se permitirmos, Deus nos transforma de glória em glória à medida que estudamos a Sua Palavra. Vemos Sua imagem na Palavra escrita de Deus, e ela se torna como um espelho para nós. Ou seja, vemos a nós mesmos à luz da Bíblia e percebemos que precisamos mudar.

À medida que começamos a orar sobre as mudanças que precisamos e desejamos e buscamos a Deus por causa delas, pouco a pouco Ele nos transforma para sermos cada vez mais semelhantes a Ele.

*Capítulo 6*

Costumo ver adesivos em carros que dizem: "Por favor, seja paciente comigo; Deus ainda não acabou a Sua obra em mim." Na verdade, Ele acabou; Sua obra foi consumada quando Ele morreu na cruz. Apenas precisamos crer nela e, assim, recebê-la. Espiritualmente falando, a Sua obra foi consumada, mas em termos de experiência, ela está sendo operada em nossas vidas diariamente.

A Bíblia diz que Aquele que começou a boa obra em nós a completará.

> Estou convencido de que aquele que começou boa obra em vocês vai completá-la até o dia de Cristo Jesus.
>
> *Filipenses 1:6*

Quando digo que precisamos ser semelhantes a Cristo, estou falando de um objetivo que perseguimos. Não temos de ser perfeitos para sermos testemunhas a outros, mas também não podemos esperar sermos carnais e impressioná-los com a nossa fé.

O que buscamos na vida é muito importante. Fico preocupada porque algumas vezes, como cristãos, continuamos a buscar as mesmas coisas que o mundo busca, com a diferença que colocamos nelas um rótulo cristão.

Veja um exemplo:

Sou uma pessoa muito voltada para um objetivo, alguém que tem visão e propósito. No colegial, fui eleita como sendo a garota que tinha maior probabilidade de ter êxito. Em 1976, quando Deus tocou minha vida e me encheu com o Espírito Santo, entrei em um relacionamento muito sério e comprometido com o Senhor. Havia aceitado Jesus como meu Salvador quando tinha nove anos. Por volta dos vinte, comecei a frequentar a igreja regularmente e fazia muitas coisas ligadas à igreja. Pertencíamos a todos os clubes certos; estávamos envolvidos em várias diretorias da igreja; no entanto, para

*Não Lute, Adore*

ser sincera, minha vida não era muito diferente das vidas dos incrédulos que eu conhecia e com os quais havia trabalhado.

Depois de receber o batismo no Espírito Santo e o chamado para o ministério, firmei um compromisso mais profundo, mas várias semanas se passaram antes que eu percebesse que ainda estava buscando as coisas erradas. Queria ter êxito no ministério; queria que a minha vida fosse abençoada, mas não estava buscando ser semelhante a Cristo de todo o meu coração.

Realmente tinha o desejo de mudar, mas queria que isso "simplesmente acontecesse". Não estava pronta para pagar o preço que precisaria pagar para ter maturidade espiritual.

## O PREÇO A PAGAR

> Portanto, uma vez que Cristo sofreu corporalmente, armem-se também do mesmo pensamento, pois aquele que sofreu em seu corpo rompeu com o pecado, para que, no tempo que lhe resta, não viva mais para satisfazer os maus desejos humanos, mas sim para fazer a vontade de Deus.
>
> *1 Pedro 4:1-2*

"Sacrifício" e "sofrimento" nem sempre são palavras populares entre os cristãos, mas, ainda assim, são palavras bíblicas e palavras sobre as quais Jesus e os apóstolos falavam frequentemente. A maturidade espiritual, ou a "semelhança com Cristo" não pode ser obtida sem "morrer para si mesmo".

Morrer para si significa simplesmente dizer sim a Deus e não a nós mesmos quando a nossa vontade e a vontade de Deus estiverem em oposição.

Paulo falou sobre morrer a cada dia. Ele disse coisas do tipo: "Já não vivo eu, mas Cristo vive em mim." Jesus disse aos Seus discípulos que se eles quisessem segui-lo, precisariam tomar sua cruz

*Capítulo 6*

diariamente. A versão em inglês *Amplified Bible* traz uma definição clara com relação a esta cruz de que Jesus fala.

> Então ele chamou [para Si] a multidão e os discípulos e disse a eles: Se alguém quiser acompanhar-me, negue-se a si mesmo [esqueça, ignore, deserde e perca de vista a si mesmo e os seus próprios interesses], tome a sua cruz e [unindo-se a Mim como discípulo e apoiando-se em Mim] siga-me [agarrando-se de forma contínua e firme a Mim].
>
> *Marcos 8:34, Amplified Bible, tradução livre*

Para seguirmos a Cristo e nos tornarmos como Ele, precisamos estar dispostos a esquecer de tudo o que queremos — nossos planos, ter as coisas do nosso jeito — e em vez disso confiar nele para nos mostrar qual é a Sua vontade para nós.

A Sua vontade sempre leva a uma profunda alegria e satisfação, mas leva algum tempo e experiência de vida para que entendamos isso. No início, quando começamos a abrir mão das coisas, permitindo as mudanças inspiradas por Deus em nossas vidas, sofremos na carne. Em outras palavras, a nossa carne tem mente própria, e não quer abrir mão do seu plano. Ela não quer se sacrificar, se sentir desconfortável, ter qualquer inconveniente ou até mesmo esperar.

O versículo de I Pedro 4, citado anteriormente, afirma que precisamos ter a mente de Cristo, que sofreu na carne por nós. Em outras palavras, precisamos pensar: "Prefiro sofrer dentro da vontade de Deus a sofrer fora da vontade de Deus." Quando estamos dispostos a pagar o preço e a sofrer para estar dentro da vontade de Deus, este é um tipo de sofrimento que leva a uma vitória gloriosa, um tipo de sofrimento que com o tempo desaparecerá. Mas se permanecermos fora da vontade de Deus, suportaremos um tipo de infelicidade e sofrimento que jamais desaparecerá.

Ao falar de sofrimento, não estou me referindo à pobreza, à doença e nem ao desastre. Falo sim do sofrimento pelo qual a carne passa quando não consegue as coisas do seu jeito. A carne é constituída pela alma — mente, vontade e emoções — e pelo corpo, ou o nosso próprio jeito de ser e agir. Temos todas essas áreas, mas somos, antes de tudo, seres espirituais, e fomos chamados por Deus para andar no Espírito. Isso significa simplesmente que devemos seguir a direção do Espírito Santo, que habita dentro do espírito humano do crente em Cristo. O Espírito Santo deve ser o Guia e o fator preponderante em nossa vida cristã porque Ele nos guiará a toda verdade e à vontade perfeita de Deus.

Eu o exorto firmemente a estar disposto a pagar esse preço; o prêmio vale a pena!

## CAPÍTULO 7

# Seja Transfigurado

**A Bíblia fala sobre** transformação e transfiguração. Em Lucas capítulo 9 Jesus foi transfigurado. Ele subiu a uma montanha para orar. Pedro e João estavam com Ele. Quando estava orando, a aparência da Sua fisionomia foi alterada. A aparência de Jesus foi transformada, e as Suas vestes se tornaram resplandecentes. Moisés e Elias estavam conversando com Ele, falando sobre a Sua partida da vida, que em breve aconteceria. Naturalmente, Pedro e João ficaram atônitos; eles nunca haviam visto nada igual antes. Pedro queria construir tendas e ficar na montanha para sempre; entretanto, Jesus lhe disse que eles tinham de voltar, descer a montanha e estar com as outras pessoas.

Pedro, João e Jesus subiram a montanha, e todos eles testemunharam este grande acontecimento. Jesus queria voltar para baixo e ministrar às outras pessoas; Pedro queria ficar ali e simplesmente ficar desfrutando daquilo pelo resto da vida.

Observe que Jesus foi transfigurado enquanto Ele estava orando. Embora a Bíblia não diga expressamente que Ele estava adorando, creio que Jesus sempre adorava quando orava. Certamente creio que as Suas orações continham mais louvor do que petição. Esta

*Capítulo 7*

é uma lição para todos nós. Se quisermos ver mudanças positivas em nossas vidas, devemos orar, louvar e adorar em vez de construir tendas. Em geral ficamos tão ocupados tentando construir o nosso próprio negócio, que nem sequer percebemos a grande obra que Deus quer fazer e o Seu propósito em fazer isso. Deus não quer que nos tornemos semelhantes a Cristo para podermos desfrutar mais as nossas vidas. Ele quer que passemos tempo com Ele em oração e com a Palavra, experimentemos a transfiguração, voltemos para onde as pessoas estão e as ajudemos de uma forma ainda mais grandiosa.

## MUDE O RUMO DO SEU DIA

Se você se levantar pela manhã com um humor terrível, a melhor coisa que pode fazer é encontrar um lugar e passar mais tempo com o Senhor. Estar na Sua Presença nos transforma. Podemos mudar o rumo de um dia para o qual Satanás tem planos negativos aprendendo a buscar a Deus rapidamente quando sentimos qualquer atitude ou comportamento que não é semelhante ao de Cristo.

Sem Ele, nada podemos fazer (João 15:5), mas com Ele e por Seu intermédio, podemos realizar todas as coisas (Filipenses 4:13). Aprendi que sempre terei sentimentos, mas não tenho de deixar que eles me governem. Não posso superá-los sozinha, mas se eu buscar a ajuda de Deus, Ele me fortalecerá para andar no Seu Espírito, e não nas minhas emoções.

E se alguém nos ofender ou ferir os nossos sentimentos? A Bíblia diz que não devemos nos ofender com facilidade nem sermos hipersensíveis; é recomendado a todos nós que perdoemos rapidamente aqueles que nos ferem.

Podemos querer fazer o que é certo, mas descobrir que fazer isso é difícil. É então que precisamos dedicar um tempo para orar, para passar algum tempo com Deus, ir à Sua Palavra e deixar o nosso coração meditar em alguns versículos que tratem do assunto que estamos vivenciando. O resultado é que você e eu encontraremos forças para fazer a coisa certa.

Lembre-se de que estamos em uma guerra; somos soldados do exército de Deus, e precisamos estar prontos a qualquer momento para usar as nossas armas. Algumas dessas armas são a oração, a adoração, o louvor e a Palavra de Deus.

## OBSERVE A SUA FISIONOMIA

O Senhor disse a Moisés: Diga a Arão e aos seus filhos:
Assim vocês abençoarão os israelitas:
O Senhor te abençoe e te guarde;
O Senhor faça resplandecer o seu rosto sobre ti e te conceda graça;
O Senhor volte para ti o seu rosto e te dê paz.

*Números 6:22-26*

A fisionomia de Jesus foi transformada na montanha quando Ele foi transfigurado. A nossa fisionomia é simplesmente a nossa aparência. Ela se refere à nossa face. Na igreja hoje precisamos nos preocupar com a nossa fisionomia.

Uma das bênçãos que foi pronunciada sobre o povo de Deus foi que a face de Deus brilharia sobre eles e que Ele levantaria o Seu rosto sobre eles.

Quando o mundo olha para nós, eles precisam ver algo em nós que é diferente deles. Eles não podem ler a nossa mente para ver dentro do nosso coração, de modo que a nossa fisionomia é a única maneira de podermos lhes mostrar que temos algo que eles não têm, mas realmente querem e precisam.

*Capítulo 7*

Quando Jesus começou a orar e a ter comunhão com Deus Pai, a Sua fisionomia foi transformada, e precisamos que o mesmo aconteça conosco.

A nossa fisionomia é importante. É importante a aparência do nosso rosto quando estamos trabalhando. É importante o tom de voz que usamos com a nossa família em casa. É importante sorrirmos uns para os outros, sendo agradáveis e completamente bondosos uns com os outros.

Creio que temos uma aparência melhor ao adorarmos a Deus. A adoração coloca um sorriso no nosso rosto. É muito difícil manter a cara fechada enquanto somos gratos, e estamos louvando e adorando a Deus. Se fizermos essas coisas regularmente, a nossa fisionomia levará a Sua Presença, e não a expressão de frustração e tumulto interior.

Talvez precisemos fazer um curso do que chamarei de "face-ologia". Precisamos passar mais tempo adorando a Deus, e, dessa forma, o nosso rosto irá transmitir a Sua glória.

Os cristãos devem ser pessoas alegres e que andam em amor. Precisamos perguntar a nós mesmos: "As pessoas saberiam que sou um cristão olhando para o meu rosto na maior parte do tempo?" Lembro-me de uma vez quando eu participava de uma conferência na Flórida. Entrei no prédio de manhã e segui por um corredor, quando uma mulher falou comigo. Eu disse olá respondendo ao seu cumprimento, e ela disse: "É nítido que você esteve com Jesus."

Ela estava certa. Eu havia passado muito tempo naquela manhã orando e tendo comunhão com o Senhor, preparando-me para o ensinamento que daria naquele dia. Como ela pôde ver que eu havia estado com Jesus? Algo na minha fisionomia fez com que ela soubesse. Talvez eu parecesse feliz e satisfeita ou em paz. Não sei exatamente o que ela viu, mas algo na aparência do meu rosto fez com que ela soubesse com quem eu estava passando o meu tempo.

*Seja Transfigurado*

## MAIS LOUVOR QUE PETIÇÃO

> Quando ele desceu do monte, grandes multidões o seguiram.
>
> Um leproso, aproximando-se, adorou-o de joelhos e disse: "Senhor, se quiseres, podes purificar-me!" Jesus estendeu a mão, tocou nele e disse: "Quero. Seja purificado!" Imediatamente ele foi purificado da lepra.
>
> *Mateus 8:1-3*

Não lidamos com a lepra nos Estados Unidos, de onde venho, mas ainda existem países onde a lepra existe atualmente. Embora talvez não lidemos com a lepra física em meu país nos nossos dias, certamente lidamos com muita lepra espiritual.

Frequentemente buscamos a Deus para sermos curados, para termos uma mudança ou uma libertação, e a primeira coisa sobre a qual lhe falamos é aquilo que queremos ou precisamos: "Senhor, preciso de cura. Não posso mais suportar esta dor. Tu precisas fazer alguma coisa, Senhor; Tu precisas mudar a minha situação."

Mas quando este homem procurou Jesus para ser curado da sua lepra, ele primeiro se prostrou diante dele e o adorou. Depois ele perguntou: "Senhor, podes me curar?"

Há uma mensagem forte aqui que podemos ter deixado passar: a adoração precisa vir antes da petição. Nas nossas orações, é preciso haver mais louvor que petição.

Não há problema em pedir coisas a Deus. A Bíblia nos ensina a fazer isso, mas não acredito que seja dessa forma que devemos começar a nossa conversa com Deus. O que começamos falando em primeiro lugar provavelmente demonstra o que é mais importante para nós.

Certa vez fui desafiada pelo Senhor a examinar bem de perto as orações do apóstolo Paulo, várias das quais estão registradas na Bíblia. Não apenas fiquei impressionada com o que descobri, como

*Capítulo 7*

também fui convencida de que a minha prioridade em oração não era o que deveria ser.

Paulo orou em Efésios para que as pessoas conhecessem e experimentassem o amor de Deus, tivessem uma verdadeira revelação do poder de Deus que estava disponível a elas. Em Filipenses ele orou para que as pessoas fossem fortalecidas com todo o poder para exercer todo tipo de resistência e paciência com alegria. Ele também orou por muitas outras coisas maravilhosas, mas à medida que eu examinava as suas orações, descobri que ele nunca pedia coisas materiais. Paulo estava mais preocupado com as necessidades espirituais do que com as materiais. As suas orações também eram cheias de ações de graças, que é um tipo de louvor e adoração. Ele disse, por exemplo, que todas as vezes que orava, ele agradecia a Deus pelos seus parceiros de ministério. Devemos ser gratos pelas pessoas que Deus nos deu, que nos ajudam em nossas vidas e ministérios.

Estou certa de que Paulo apresentava as suas necessidades físicas ao Senhor, mas é óbvio que esse tipo de oração não enchia muito do seu tempo de oração. Vemos a mesma coisa nas orações de Jesus. Ele se ajoelhava no Jardim e orava para ser fortalecido para fazer a vontade de Deus. Quando Ele estava cansado por ministrar às pessoas, subia às montanhas para orar, e estou certa de que Ele estava louvando, e não pedindo coisas a Deus.

## ENGRANDEÇA O SENHOR

Engrandecei o SENHOR comigo, e todos, à uma, lhe exaltemos o nome.

*Salmos 34:3, RA*

Louvarei o nome de Deus com um cântico, e engrandecê-lo-ei com ação de graças.

*Salmos 69:30, AA*

*Seja Transfigurado*

A palavra *engrandecer* significa "ampliar". Quando dizemos a Deus "Eu Te engrandeço", estamos dizendo literalmente: "Eu Te torno maior em minha vida do que qualquer problema ou necessidade que eu tenha." Cantei muitas canções ao longo dos anos que falavam sobre engrandecer o Senhor sem sequer entender o que a palavra significava. Costumamos fazer isso. Cantamos e falamos sobre coisas que nem sequer entendemos. Elas são apenas frases que aprendemos na igreja.

Devemos engrandecer o Senhor, e isto significa que devemos torná-lo maior do que qualquer outra coisa em nossa vida. Quando o adoramos e o louvamos, estamos fazendo exatamente isto. Estamos dizendo: "Tu és tão grande, tão grande, que quero adorá-lo." Colocando a adoração em primeiro lugar, também estamos dizendo "Tu és maior do que qualquer necessidade que eu tenho".

## O PODER DA ADORAÇÃO

> Porque está escrito: "Por mim mesmo jurei, diz o Senhor, diante de mim todo joelho se dobrará e toda língua confessará que sou Deus."
>
> *Romanos 14:11*

Creio que quando adoramos a Deus, pelo menos durante parte do tempo precisamos adotar uma postura de adoração. Precisamos dobrar os joelhos e nos prostrarmos diante dele. Isto é sinal de reverência e humildade. É um sinal externo que denota a atitude do nosso coração. Satanás não pode ver o que está no nosso coração, mas ele pode ver os joelhos dobrados em adoração a Deus.

Em Filipenses 2:10-11, nos é dito: "Para que ao nome de Jesus se dobre todo joelho, nos céus, na terra e debaixo da terra, e toda língua confesse que Jesus Cristo é o Senhor, para a glória de Deus Pai." E em 1 Timóteo 2:8, o apóstolo Paulo nos diz: "Quero,

*Capítulo 7*

pois, que os homens orem em todo lugar, *levantando mãos santas,* sem ira e sem discussões" (grifo nosso).

As mãos erguidas representam outro sinal externo de adoração. Por que devemos exibir estes sinais externos? O que está no nosso coração não é suficiente? Como já mencionei, o diabo não pode ver o que está no nosso coração, mas ele certamente pode ver os nossos atos e ouvir as nossas palavras. Quando ele pode ver pela nossa postura e palavras que estamos adorando a Deus, o diabo começa a ter medo. Ele sabe que não pode enganar nem controlar um adorador.

Satanás pode ver a manifestação externa das nossas mãos erguidas, e ele sabe o que está acontecendo quando nos prostramos. Agora, obviamente, essas são formas externas de adoração, e sabemos que formas externas sem uma atitude correta do coração são inúteis. O que precisamos perceber é que ambas as coisas andam juntas. A atitude do nosso coração define as coisas na esfera espiritual, e os nossos atos e palavras definem as coisas nesta esfera natural.

Este é o motivo pelo qual a Bíblia diz que para sermos salvos, precisamos crer com o nosso coração e confessar com a nossa boca que Jesus morreu e ressuscitou.

> Se você confessar com a sua boca que Jesus é Senhor e crer em seu coração que Deus o ressuscitou dentre os mortos, será salvo.
>
> Pois com o coração se crê para justiça, e com a boca se confessa para salvação.
>
> *Romanos 10:9-10*

Este é um princípio muito importante que corremos o risco de deixar passar. Fomos salvos pela fé, mas Tiago disse que a fé sem obras é morta. Posso crer em meu coração que Deus é digno de adoração, mas se eu não tomar uma atitude para adorá-lo, de nada adianta. Posso dizer que creio em dar o dízimo, mas se eu não dizimar, isso não vai me ajudar financeiramente.

O batismo nas águas é outro exemplo bíblico do mesmo princípio. É um sinal externo de uma decisão interna de seguir a Cristo. A Bíblia ensina que quando recebemos Cristo como nosso Salvador, nascemos de novo. O batismo nas águas não estabelece um relacionamento entre a pessoa e Deus; isso acontece em resultado do novo nascimento. A versão *Amplified Bible* diz que o batismo nas águas é uma demonstração do que acreditamos ser nosso através da ressurreição de Jesus Cristo.

Seja ousado — tome alguma atitude e seja expressivo no seu louvor e na sua adoração. Muitas pessoas até se recusam a falar sobre Deus. Elas dizem: "A religião é uma coisa pessoal." Não consigo encontrar ninguém na Bíblia que encontrou Jesus e guardou o assunto só para si. Quando Ele enche o nosso coração, as boas-novas a Seu respeito saem pela nossa boca. Quando estamos empolgados em louvá-lo e adorá-lo, é difícil não ter nenhuma expressão exterior. As pessoas que ficam sentadas na igreja com rostos sombrios e azedos, sem nunca se mexer nem expressar nenhuma alegria, deveriam fazer um estudo profundo sobre a adoração e o louvor e ver como Davi e outras pessoas da Bíblia adoravam a Deus.

A adoração não é apenas algo que é devido a Deus, como também é uma força poderosa que abala o céu, a terra e o inferno. Não apenas o diabo vê os joelhos dobrados em verdadeira adoração, como o céu também vê. Um adorador chama a atenção de Deus. O céu está cheio de adoração e louvor.

> Os vinte e quatro anciãos se prostram diante daquele que está assentado no trono e adoram aquele que vive para todo o sempre...
>
> *Apocalipse 4:10*

*Capítulo 7*

A cena no céu que esse versículo descreve na verdade se repete por várias vezes no livro de Apocalipse. Oramos regularmente: "Seja feita a Tua vontade, assim na terra como no céu." Portanto, devemos aplicar os princípios celestiais à nossa adoração enquanto estamos aqui na terra.

Torne-se um cristão perigoso — torne-se semelhante a Cristo, faça com que o seu louvor supere a sua petição, troque a preocupação pela adoração e seja determinado ao expressar como você se sente com relação ao Senhor.

# CAPÍTULO 8

## Adoração e Oração

Falava ele ainda quando um dos dirigentes da sinagoga chegou, ajoelhou-se diante dele e disse: "Minha filha acaba de morrer. Vem e impõe a tua mão sobre ela, e ela viverá."

*Mateus 9:18*

**Foi exatamente isso** que aconteceu. Jesus foi, e tocou na menina, e ela voltou à vida.

Mas observe a primeira coisa que esse dirigente fez — não a última, mas a primeira. Ele não esperou até obter uma manifestação do seu milagre para depois se prostrar e adorar a Jesus. Ele o adorou antes mesmo de lhe pedir para fazer qualquer coisa por sua filha.

Quantas vezes pedimos a Deus para mudar nossos amigos ou as pessoas da nossa família sem dedicar tempo para adorá-lo antes de tudo? "Deus, Tu precisas mudar a minha família. Simplesmente não poderei suportar mais se Tu não fizeres isso. Tu precisas transformá-los, e isto é tudo".

O que aconteceria se, em lugar de fazer isso, simplesmente nos prostrássemos e adorássemos a Deus, dando a Ele honra, gratidão e louvor? E se ainda fossemos um passo além e colocássemos

*Capítulo 8*

nosso rosto no chão como Elias fez no Monte Carmelo ou como Josafá fez enquanto esperava que Deus lhe desse a vitória sobre os seus inimigos? Precisamos dizer coisas do tipo: "Oh Deus, eu Te adoro, engrandeço o Teu nome, Senhor. Tu és digno de ser louvado. Tu me fortaleces quando estou fraco. Tu me capacitas a fazer o que eu jamais poderia fazer sem Ti. Sei, ó Deus, que Tu tens o meu interesse no Seu coração. Tu és bom, Pai, e creio que a Tua bondade certamente vai se manifestar em minha vida e nas minhas circunstâncias. Creio que Tu estás me transformando e transformando minha família e meus amigos. Creio que Tu estás tratando com aqueles que não são nascidos de novo. Creio que eles Te aceitarão, serão cheios com o Teu Espírito Santo, e manifestarão o Teu caráter em suas vidas. Eu Te adoro, Deus, pela obra que Tu estás fazendo agora e pela Tua fidelidade."

O que você acha que começaria a acontecer? Creio que começaríamos a ver mudanças em nossas vidas e nas circunstâncias que nos cercam, assim como ocorreriam as mudanças necessárias nas pessoas que amamos. A mudança vem depois que adoramos a Deus, e não antes!

## ADORAÇÃO E FÉ

> Uma mulher cananéia, natural dali, veio a ele, gritando: "Senhor, Filho de Davi, tem misericórdia de mim! Minha filha está endemoninhada e está sofrendo muito." Mas Jesus não lhe respondeu palavra. Então seus discípulos se aproximaram dele e pediram: "Manda-a embora, pois vem gritando atrás de nós."
>
> *Mateus 15:22-23*

Creio que o motivo pelo qual Jesus não respondeu a esta mulher foi por ela não tê-lo adorado antes de qualquer coisa. Ela havia

*Adoração e Oração*

simplesmente começado a segui-lo, dizendo a Ele o que necessitava primeiro.

> Ele respondeu: "Eu fui enviado apenas às ovelhas perdidas de Israel."
>
> *Mateus 15:24*

Em vez de ajudá-la, Ele começou a confrontar a fé da mulher.

> A mulher veio, adorou-o de joelhos e disse: "Senhor, ajuda-me!" Ele respondeu: "Não é certo tirar o pão dos filhos e lançá-lo aos cachorrinhos."
>
> *Mateus 15:25-26*

Então, quando ela começou a adorá-lo, Ele deixou de confrontar à sua fé e passou a desafiá-la, mas ela ainda assim não aceitou uma negativa como resposta.

> Disse ela, porém: "Sim, Senhor, mas até os cachorrinhos comem das migalhas que caem da mesa dos seus donos." Jesus respondeu: "Mulher, grande é a sua fé! Seja conforme você deseja." E naquele mesmo instante a sua filha foi curada.
>
> *Mateus 15:27-28*

O milagre desta mulher não veio até que duas coisas ficassem definidas: 1) que ela tinha fé, e 2) que ela ia adorar a Deus.

## MAIS QUE UM MÉTODO

Não estou tentando estabelecer um novo conjunto de regras e regulamentos para termos nossas orações atendidas. Como mencionei

*Capítulo 8*

anteriormente, Deus vê o nosso coração, e a sinceridade do coração é a coisa mais importante para Ele. Adorar a Deus primeiramente, antes de fazer uma petição, não é uma fórmula ou método que funcione como algum encantamento ou magia para nos ajudar a ter o que queremos ou precisamos. A não ser que a nossa adoração seja real e saia de um coração cheio de gratidão e louvor genuínos, podemos nos esquecer de obter algum bom resultado. Só porque nos levantamos de manhã e caímos de joelhos em louvor e adoração não significa que tudo na nossa vida irá mudar da maneira que queremos.

Só porque nos prostramos ou erguemos as nossas mãos, isso não significa que vamos ter tudo o que pedimos em oração.

Isto não é apenas outra fórmula ou método a ser seguido para conseguir o que queremos de Deus. Se for encarado e aplicado desta forma, não haverá poder nele.

Uma atitude correta do coração — um coração que seja sincero e genuinamente ame a Deus e deseje a Sua vontade — é a base do poder. Depois disso, o método pode ser usado para que o poder flua. Deus está sempre, em primeiro lugar e acima de tudo, preocupado com a motivação do nosso coração. Ele sempre vê "o motivo por trás da ação". Em outras palavras, Deus não se preocupa somente com o que fazemos, mas a Sua preocupação é o motivo pelo qual estamos fazendo aquilo.

Se estivermos adorando a Deus interiormente e exteriormente porque realmente acreditamos que Ele é digno de louvor e adoração, e acreditamos que Ele é o único que pode resolver os nossos problemas e suprir as nossas necessidades, então e somente então veremos resultados positivos e veremos mais respostas às nossas orações.

## A NECESSIDADE DA VERDADEIRA ADORAÇÃO

No entanto, está chegando a hora, e de fato já chegou, em que os verdadeiros adoradores adorarão o Pai em espí-

> rito e em verdade. São estes os adoradores que o Pai procura. Deus é espírito, e é necessário que os seus adoradores o adorem em espírito e em verdade.
>
> *João 4:23-24*

Às vezes, podemos entrar em um culto de igreja e sentir um forte espírito de adoração entre as pessoas. Podemos sentir que estão envolvidos com a Presença de Deus e realmente o estão adorando em verdade (ou realidade). Mas pode haver algumas pessoas ali que estão simplesmente murmurando as palavras sem realmente entrarem de todo o coração no louvor e adoração. Não devemos honrá-lo com os nossos lábios enquanto o nosso coração está longe dele.

Um homem certa vez contou uma visão que teve. Ele estava em um culto de igreja um dia enquanto as pessoas estavam envolvidas no louvor e em profunda adoração. Nessa atmosfera, Deus falou com ele e disse: "Vou lhe mostrar as pessoas aqui que realmente estão me adorando. Há uma luz saindo de cada uma delas."

O homem disse que de toda aquela congregação, havia apenas três ou quatro pessoas que tinham a luz saindo delas. O restante das pessoas naquela congregação estava apenas fazendo as coisas por fazer, cantando como uma rotina, enquanto as suas mentes estavam em alguma outra coisa.

Quando adoramos sozinhos em casa, é menos provável que venhamos a nos distrair, embora até ali a nossa mente tenha a tendência de divagar e pensar em outras coisas. Precisamos nos disciplinar para fixar a nossa mente no Senhor quando o adoramos.

Incentivo as pessoas firmemente a chegarem no horário na igreja para não interromperem os outros que estão tentando entrar no espírito de louvor e adoração quando estiverem tentando encontrar um lugar para sentar. Se não pudermos chegar a tempo, devemos esperar na parte de trás da igreja até que o louvor e a adoração

*Capítulo 8*

tenham terminado, apenas para demonstrar reverência e respeito a Deus e às outras pessoas. Já estive em algumas igrejas nas quais as portas eram fechadas quando o louvor e a adoração começavam, e a multidão que chegava atrasada não podia entrar até que terminassem. Podiam ouvir o louvor e a adoração por meio de alto-falantes enquanto esperavam do lado de fora, mas para não perturbar os outros, tinham de esperar para encontrar seus lugares. Alguns podem achar essa ação rígida demais, mas isso também poderia encorajar as pessoas a chegarem na hora.

A outra opção é encontrar um lugar vazio na parte de trás do templo, onde os outros não serão incomodados ou distraídos com a nossa entrada.

Todos nós nos atrasamos em algumas ocasiões por motivos fora do nosso controle, mas algumas pessoas estão habitualmente atrasadas. Não importa a que horas o culto comece, elas chegam atrasadas.

É lamentável que nos distraiamos com tanta facilidade. Satanás pode usar facilmente esta fraqueza em nós para nos impedir de entrar em um alto nível de louvor ou de adoração profunda. Observe que usei as palavras "alto" e "profunda". Há uma grande diferença entre cantar cânticos e realmente se abandonar na Presença de Deus. Queremos louvar e adorar a Deus com todo o nosso coração.

Muitas vezes interrompo o louvor nas nossas conferências e exorto as pessoas a realmente prestarem atenção nas palavras que estão cantando. Percebo que muitas delas estão apenas repetindo palavras enquanto ficam olhando ao redor, observando todas as pessoas enquanto elas tentam se acomodar. Não gosto disso, e sei que o louvor e a adoração não as ajudará muito nem honrará a Deus se elas não se concentrarem no que estão fazendo. Depois que faço esta exortação, sempre sinto uma grande diferença na atmosfera espiritual. As pessoas começam a se esforçar para não se distraírem. O resultado é que uma forte unção, ou Presença do Espírito Santo, invade o lugar.

*Adoração e Oração*

Resumindo, a primeira coisa que precisamos fazer é garantir que a atitude do nosso coração esteja correta. Então devemos ser expressivos, para que o diabo possa ver claramente que estamos adorando.

## AÇÕES COMO DECLARAÇÕES

Porque, sempre que comerem deste pão e beberem deste cálice, vocês anunciam a morte do Senhor até que ele venha.

*1 Coríntios 11:26*

Pessoalmente acredito que a Santa Ceia é outra maneira de expressarmos externamente o que está acontecendo interiormente. A Bíblia diz que todas as vezes que comemos o pão e bebemos o cálice, estamos lembrando o corpo de Cristo e o Seu sangue e proclamando a Sua morte até que Ele volte.

Precisamos entender que quando tomamos a Santa Ceia, estamos fazendo uma declaração de fé com os nossos atos e não apenas com o que dizemos que cremos em nosso coração.

As pessoas costumam dizer: "Meu coração está reto", mas ninguém pode ler o nosso coração; as pessoas só podem ver os nossos atos. Isto é tão tolo quanto um homem dizer à sua esposa: "Você deveria saber que eu a amo; afinal, eu me casei com você, não foi?" Porém ele nunca demonstra nenhum afeto por ela nem lhe dá qualquer motivo nas suas emoções ou na sua mente para acreditar nele. *É importante demonstrarmos, com os nossos atos, o que cremos com o nosso coração.*

Quando tomo a Santa Ceia, sempre digo: "Senhor Jesus, ao comer este pão, estou tomando a Ti como o meu Pão Vivo. Enquanto eu comer de Ti e tiver comunhão contigo, jamais estarei insatisfeita. Ao beber deste cálice, estou bebendo Águas Vivas. En-

*Capítulo 8*

quanto eu beber de Ti e tiver comunhão contigo, estarei satisfeita a ponto de não ser perturbada, sejam quais forem as minhas circunstâncias externas. Estou declarando ao tomar esta Santa Ceia, Senhor Jesus, que Tu és tudo o que preciso na vida para ser verdadeiramente feliz e realizada."

Depois, prossigo, dizendo: "Há muitas outras coisas que eu adoraria ter e desfrutar. Posso viver sem elas se for preciso, mas não posso viver sem Ti. Tu és a minha necessidade número 1."

Quando começamos a agir desta forma, o diabo começa a ficar nervoso. Satanás sabe que se entrarmos nesse tipo de relacionamento íntimo com o Senhor, ele não poderá mais nos controlar.

## DECLARE-O COM OS SEUS ATOS!

> Batam palmas, vocês, todos os povos; aclamem a Deus com cantos de alegria.
>
> *Salmos 47:1*

A Bíblia nos instrui a dançar, a tocar instrumentos musicais e a fazer todo tipo de coisas externas para expressar adoração ao Senhor. Precisamos disso; agir assim gera uma liberação em nossas vidas, honra a Deus e ajuda a derrotar o diabo.

Não basta dizer: "Bem, Deus sabe o que sinto por Ele. Não preciso dar uma grande demonstração disso." Falar assim não seria diferente de dizer: "Bem, Deus sabe que creio nele; portanto, não há necessidade de me batizar." Ou não seria diferente de dizer: "Deus sabe que sinto muito por meus pecados; por isso, não preciso admitir meus pecados e me arrepender deles." Podemos ver prontamente o quanto isso seria tolo, e as pessoas de todas as denominações concordariam que precisamos ser batizados e confessar nossos pecados. No entanto, não são todas as denominações que ensinam as pessoas a expressarem exteriormente o seu louvor e a sua adoração.

*Adoração e Oração*

Frequentei uma igreja por muitos anos, que é conhecida no mundo inteiro. Cantávamos cânticos de um hinário como parte de cada culto, mas não havia expressão externa como bater palmas, dançar ou erguer as mãos. Na verdade, as pessoas achariam que estavam fazendo alguma coisa errada se agissem assim. A Bíblia fala sobre tudo isso, e, no entanto, essa igreja, assim como muitas outras, achava que a reverência era a única demonstração adequada da nossa adoração. Definitivamente precisamos de momentos de silêncio e reverência, mas também precisamos liberar as emoções em adoração.

Não estou encorajando emoções desenfreadas. Todos nós sabemos que existem pessoas que simplesmente dão asas à sua emoção, e elas realmente podem se tornar uma distração. O que precisamos é de equilíbrio. Só porque algumas pessoas foram excessivamente emotivas no passado, algumas denominações eliminam inteiramente a demonstração de qualquer emoção na igreja. Pessoalmente acredito que se tivéssemos uma liberação adequada das nossas emoções durante o louvor e a adoração, talvez não a liberássemos em outros momentos de maneira inadequada. Nossas emoções fazem parte de nós tanto quanto nosso corpo, nossa mente, nossa vontade ou nosso espírito. Deus nos deu emoções, e precisamos cuidar delas como das outras áreas de nossas vidas. Não devemos ser controlados por elas, pois sabemos que são instáveis e nada confiáveis, mas também não podemos sufocá-las e nos mantermos saudáveis.

Quando eu me sentava nessa igreja que citei, havia momentos em que as emoções se acumulavam dentro de mim. Eu sentia a necessidade de expressá-las de algumas formas, mas não fazia ideia de como fazer isso. Acho que é trágico não ensinarmos às pessoas que elas são livres para se expressar e para expressar o seu amor a Deus de forma equilibrada. É errado ter tanto medo de que algo fique em desequilíbrio a ponto de acabarmos por eliminá-lo completamente.

*Capítulo 8*

Cada um de nós pode dizer da nossa denominação específica: "Bem, esta é a maneira como fazemos as coisas." Não acho que esta seja uma atitude adequada. Todos nós precisamos nos abrir para o crescimento, que sempre significa mudança. Jesus disse que Ele não podia derramar vinho novo em odres velhos, querendo dizer que alguns dos velhos caminhos tinham de ser eliminados, ou seja, era preciso "deixar para trás" as coisas velhas e tomar posse do que é novo. O conhecimento e a revelação são progressivos; se alguma coisa não está se movendo, está a ponto de morrer.

Não é minha intenção parecer crítica; entretanto, a Palavra de Deus é nossa diretriz de precisão. As coisas que estou compartilhando são todas fundamentadas na Bíblia, à qual todos nós deveríamos estar dispostos a nos submeter.

Eu o encorajo a começar a ser expressivo no seu louvor e adoração em casa, se você frequenta uma igreja na qual seria inaceitável fazer isso no culto público. Além disso, eu o encorajo a orar por mudanças positivas, para que todos possam aprender a adorar a Deus como Ele realmente merece ser adorado.

## DECLARE-O COM PALAVRAS

> Por meio de Jesus, portanto, ofereçamos continuamente a Deus um sacrifício de louvor, que é fruto de lábios que confessam o seu nome.
>
> *Hebreus 13:15*

A confissão dos nossos lábios é uma arma poderosa contra o inimigo. Provérbios 18:21 nos ensina que o poder da vida e da morte está na língua. Podemos proferir vida a nós mesmos e morte ao plano de destruição de Satanás. As palavras de gratidão, por exemplo, são devastadoras para o diabo. Ele absolutamente odeia ouvir uma pessoa grata falar sobre a bondade de Deus.

*Adoração e Oração*

Hebreus 4:12 nos ensina que a Palavra de Deus é uma espada afiada de dois gumes. Creio que um lado da espada derrota Satanás, enquanto o outro lado abre as bênçãos do céu. Aprendemos em Efésios 6:17 que a espada que o Espírito empunha, que é a Palavra de Deus, é uma das peças da nossa armadura a ser usada a fim de guerrearmos espiritualmente com eficácia.

Davi, o salmista, frequentemente fazia declarações do tipo: "Direi do Senhor, Ele é o meu Refúgio e a minha Fortaleza, o meu Deus; dele dependerei e nele confio!" Talvez devêssemos perguntar a nós mesmos regularmente: "O que estou dizendo sobre o Senhor?" Precisamos *DIZER* as coisas certas, e não apenas pensar nessas coisas. Uma pessoa pode pensar: *Creio em todas essas coisas boas acerca do Senhor*, mas está *dizendo* alguma coisa que a está ajudando? Muitas vezes as pessoas afirmam crer em alguma coisa, mas o que sai de sua boca é o contrário.

Precisamos falar em voz alta. Precisamos fazer isso no momento adequado e nos lugares adequados, mas precisamos nos certificar de fazer isso. Deixe que as confissões verbais se tornem parte do seu tempo de comunhão com Deus. Costumo dar caminhadas pela manhã. Oro, canto e confesso a Palavra em voz alta. Sempre, digo algo do tipo: "Deus está ao meu lado. Posso fazer o que quer que Ele me designe para fazer." Ou "Deus é bom, e Ele tem um bom plano para a minha vida. As bênçãos me perseguem e transbordam em minha vida". Isto equivale a golpear Satanás com uma espada afiada.

Verbalize suas ações de graças, o seu louvor e a sua adoração. Cante cânticos em voz alta que sejam cheios de louvor e adoração. Tome uma atitude determinada contra o inimigo!

## O PODER DAS MÃOS ERGUIDAS

Ó Deus, tu és o meu Deus, eu te busco intensamente; a minha alma tem sede de ti! Todo o meu ser anseia por ti, numa terra seca, exausta e sem água.

*Capítulo 8*

> Quero contemplar-te no santuário e avistar o teu poder e a tua glória. O teu amor é melhor do que a vida! Por isso os meus lábios te exaltarão. Enquanto eu viver te bendirei, e em teu nome levantarei as minhas mãos.
>
> *Salmos 63:1-4*

Sacrifício e cristianismo sempre estiveram ligados. No Velho Testamento, a lei exigia sacrifícios de várias espécies. Davi fala de "o levantar das minhas mãos, como a oferta da tarde" no Salmo 141:2.

Existem diversas outras referências bíblicas com relação ao erguer das mãos. Parece algo natural a se fazer quando estamos na Presença de Deus. Para mim, é uma expressão de adoração, reverência e rendição. Devemos nos render continuamente a Deus e ao Seu plano para nós.

Você pode erguer as suas mãos e dizer uma palavra de louvor ao longo de todo o dia. Mesmo no trabalho, você pode ir até o banheiro e tirar um instante para louvar a Deus. Quando nos rendemos, Deus assume o controle. Ele é um cavalheiro e não imporá a Sua vontade a nós. Ele espera que lhe digamos que colocamos a nossa confiança nele. Eu o encorajo a começar a erguer as mãos e a oferecer palavras de louvor. Isto não apenas bendirá o Senhor, como também irá ajudá-lo a derrotar o diabo, e você se sentirá melhor.

As pessoas que nunca em toda a sua vida ergueram as mãos em louvor e adoração a Deus pode ter uma poderosa libertação de emoções reprimidas. O nosso espírito anseia por adorar com paixão e de forma expressiva; há algo faltando para nós espiritualmente até que o façamos. Eu era cristã havia muitos anos e nunca havia feito isto. Ansiava por uma liberação no louvor e na adoração, mas não tinha ensinamentos suficientes para saber o que eu precisava.

*Adoração e Oração*

## FAÇA UMA PAUSA PARA LOUVAR

Sete vezes por dia eu te louvo por causa das tuas justas ordenanças.

*Salmos 119:164*

Não creio que nada abençoe mais a Deus do que quando paramos bem no meio do que estamos fazendo algumas vezes e erguemos as nossas mãos para adorá-lo, ou tiramos um instante para nos prostrarmos diante dele e dizer: "Eu Te amo, Senhor." No versículo citado, o salmista diz que ele parava sete vezes por dia e durante o dia inteiro para louvar a Deus.

Pense em um homem de negócios, por exemplo, talvez o presidente de uma grande empresa. Não seria maravilhoso se duas ou três vezes ao dia, ele fechasse a porta do seu escritório, girasse o trinco, se ajoelhasse e dissesse: "Deus, eu só quero dedicar algum tempo para Te adorar. Pai, todas estas coisas que Tu estás me dando — o negócio, o dinheiro, o sucesso — são ótimas, mas eu só quero Te adorar. Eu Te engrandeço. Tu és tão maravilhoso. Eu Te amo. Tu és tudo que preciso. Pai, eu Te adoro. Jesus, eu Te adoro. Espírito Santo, eu Te adoro".

Creio que se esse homem de negócios fizesse isso, nunca precisaria se preocupar com os seus negócios, com as suas finanças ou com o sucesso. Todas estas coisas seriam cuidadas.

Busquem, pois, em primeiro lugar o Reino de Deus e a sua justiça, e todas essas coisas lhes serão acrescentadas.

*Mateus 6:33*

Uma dona de casa teria dias muito mais frutíferos e pacíficos se dedicasse tempo para fazer isto. Não há uma pessoa que não se beneficiasse grandemente de "fazer uma pausa para louvar".

*Capítulo 8*

Assim como fazer uma pausa para louvar, apenas para honrar a Deus, devíamos fazer como mencionei todas as vezes que nos sentíssemos estressados, extremamente cansados, frustrados ou com vontade de desistir. Isto nos revigorará. Tomar este tipo de atitude é, mais uma vez, expressar a nossa total dependência do Senhor. Precisamos nos lembrar de que Ele disse: "... sem mim nada podeis fazer" (João 15:5).

## POR QUE SE PROSTRAR?

Quando Daniel soube que o decreto tinha sido publicado, foi para casa, para o seu quarto, no andar de cima, onde as janelas davam para Jerusalém e ali fez o que costumava fazer: três vezes por dia ele se ajoelhava e orava, agradecendo ao seu Deus.

*Daniel 6:10*

Por que devemos nos prostrar? Quando fazemos isso, estamos nos humilhando. Estamos dizendo com os nossos atos: "Senhor, eu Te reverencio e Te honro. Tu és tudo, e não sou nada sem Ti. Não posso fazer nada certo sem Ti. Se Tu não me ajudares, estou perdido porque não há ninguém mais que possa realmente me ajudar além de Ti."

Você se lembra da história de Daniel e da cova dos leões? Os inimigos de Daniel tinham ciúmes dele e da sua alta posição no reino. Por Daniel ser um homem justo, eles sabiam que não havia como acusá-lo por qualquer comportamento errado. Eles procuraram encontrar uma maneira de colocar um defeito na sua devoção a Deus através do medo do sofrimento. Persuadiram o rei a expedir um decreto dizendo que, durante trinta dias, se alguém fosse surpreendido pedindo algo a qualquer deus ou homem exceto o rei, seria lançado na cova dos leões.

*Adoração e Oração*

Os inimigos de Daniel sabiam que era hábito dele entrar em seu quarto três vezes ao dia, abrir as janelas para Jerusalém e ajoelhar-se e orar e adorar a Deus.

Daniel recusou-se a fazer concessões a respeito de sua adoração. Na vez seguinte que ele adorou a Deus desta forma, seus inimigos o surpreenderam e o levaram à presença do rei, que não teve escolha senão fazer com que ele fosse lançado na cova dos leões. Amo a parte dessa história que diz que Daniel orava com as janelas abertas, como era seu costume. Em outras palavras, ele não estava tentando manter nada em segredo. Ele tinha um temor reverente por Deus bem maior do que qualquer medo do homem.

Daniel foi realmente obrigado a ir para a cova dos leões, mas dormiu naquela noite e saiu no dia seguinte ileso, pois Deus havia fechado a boca dos leões. Em vez de ser devorado pelos leões, seus inimigos é que foram lançados na cova dos leões e destruídos.

Se você e eu adorarmos a Deus quando os nossos inimigos conspirarem para nos fazer mal, como fizeram a Daniel, sairemos ilesos.

## CURVE-SE PARA SER ERGUIDO

Eles atravessaram o mar e foram para a região dos gerasenos. Quando Jesus desembarcou, um homem com um espírito imundo veio dos sepulcros ao seu encontro.

Esse homem vivia nos sepulcros, e ninguém conseguia prendê-lo, nem mesmo com correntes; pois muitas vezes lhe haviam sido acorrentados pés e mãos, mas ele arrebentara as correntes e quebrara os ferros de seus pés. Ninguém era suficientemente forte para dominá-lo. Noite e dia ele andava gritando e cortando-se com pedras entre os sepulcros e nas colinas.

107

*Capítulo 8*

Quando ele viu Jesus de longe, correu e prostrou-se diante dele.

*Marcos 5:1-6*

Você pode achar que tem problemas, mas eles não são nada se comparados com os problemas que este pobre homem tinha. Mas observe o que ele fez assim que viu Jesus — correu e caiu de joelhos e o adorou. O restante da história diz que Jesus expulsou uma legião de demônios do homem, e ele seguiu o seu caminho completamente livre.

Não importa quantos problemas você tenha, se começar a cair de joelhos ou colocar o seu rosto em terra regularmente em adoração a Deus, eu lhe prometo que Ele o levará a um lugar de vitória.

Não queremos apenas adorar a Deus quando algo maravilhoso acontece, quando estamos empolgados e sentimos vontade de adorar. Estes são bons momentos para se adorar, mas também precisamos adorar nos momentos difíceis, especialmente nesses momentos.

O Senhor me disse certa vez que o motivo pelo qual a maioria das pessoas está desesperada na maior parte do tempo é porque esta é a única maneira de elas o buscarem. Ele me disse: "Joyce, se você me buscar como se estivesse desesperada o tempo todo, não terá tantos momentos de desespero em sua vida."

Os israelitas passaram muitos anos no deserto, o lugar onde Deus estava tentando ensinar-lhes a fazer as coisas certas. Como já mencionei, eles passaram quarenta anos tentando completar uma jornada de onze dias. Buscavam a Deus seguidamente quando estavam desesperados e se esqueciam dele quando as coisas iam bem. Deus permitia que os seus inimigos ficassem no controle porque eles não o estavam buscando, e logo eles o buscavam novamente.

*Adoração e Oração*

As coisas iam bem quando buscavam a Deus e iam mal quando não o faziam. Em Deuteronômio 8:2 lemos: "Lembrem-se de como o Senhor, o seu Deus, os conduziu por todo o caminho no deserto, durante esses quarenta anos, para humilhá-los e pô-los à prova, a fim de conhecer suas intenções, se iriam obedecer aos seus mandamentos ou não."

Parte dos Seus mandamentos era que eles o adorassem em todo o tempo, mas muitos deles nunca aprenderam a lição; assim, não entraram na Terra Prometida. Na verdade, só dois entre provavelmente um milhão e meio de pessoas que saíram do Egito realmente entraram na Terra Prometida. Isto é extremamente triste e realmente chocante. Poderíamos pensar: *Como isso é possível?* No entanto, na verdade, quantas pessoas você conhece que realmente vivem em vitória regularmente? Vitória não é a ausência de problemas; é ter paz e alegria em meio a eles. Vitória é continuar a dar bons frutos para o reino de Deus, mesmo quando estamos passando por dificuldades em um âmbito pessoal.

> Assim diz o Senhor: Maldito é o homem que confia nos homens, que faz da humanidade mortal a sua força, mas cujo coração se afasta do Senhor.
>
> Ele será como um arbusto no deserto; não verá quando vier algum bem. Habitará nos lugares áridos do deserto, numa terra salgada onde não vive ninguém.
>
> Mas bendito é o homem cuja confiança está no Senhor, cuja confiança nele está.
>
> Ele será como uma árvore plantada junto às águas e que estende as suas raízes para o ribeiro. Ela não temerá quando chegar o calor, porque as suas folhas estão sempre verdes; não ficará ansiosa no ano da seca nem deixará de dar fruto.
>
> *Jeremias 17:5-8*

*Capítulo 8*

Estes versículos dizem que a pessoa que busca regularmente a Deus e não depende do homem para resolver seus problemas será muito estável. Em um ano inteiro de seca, essa pessoa continuará a dar bons frutos. Creio ser essa uma das coisas mais importantes que precisamos fazer para sermos boas testemunhas. Se Satanás puder controlar o nosso comportamento com os seus ataques, eles nunca irão parar. Mas, por outro lado, se permanecermos no estado que Deus deseja que estejamos, não importa o que o inimigo faça contra nós, demonstramos pelo nosso comportamento que a nossa fé em Deus está operando para produzir não apenas o comportamento correto, mas também paz e alegria. Nossas vidas se tornarão sal e luz; outras pessoas irão querer o que temos, e estarão abertas para que compartilhemos a nossa fé com elas.

Quando colocamos Deus em primeiro lugar regularmente, quando o adoramos e dedicamos tempo para nos prostrarmos diante dele, Ele sempre nos levanta e nos coloca em lugares altos.

## CAPÍTULO 9

# Adoração e Transformação

> Enquanto ele ainda estava falando, uma nuvem resplandecente os envolveu, e dela saiu uma voz, que dizia: "Este é o meu Filho amado de quem me agrado. Ouçam-no!"
>
> *Mateus 17:5*

**Em um capítulo anterior,** lemos como Jesus levou três dos Seus discípulos e subiu a uma montanha para orar e como, enquanto Ele adorava a Deus, foi transfigurado diante dos olhos deles. Aqui neste versículo, vemos o que Deus disse aos discípulos sobre Jesus naquele momento. Em outras palavras, Ele disse: "Este é o Meu Filho amado, em quem tenho prazer."

Creio que toda pessoa que quer ser poderosa em Deus precisa ouvi-lo dizer esta mesma mensagem a ela. Como filhos de Deus profundamente amados, cada um de nós precisa saber que Deus tem prazer em nós pessoalmente e individualmente.

É o meu desejo e a minha oração que quando você terminar de ler este livro, você saiba que Deus tem prazer em você.

Escrevo isso sabendo que você provavelmente já está rejeitando a ideia: "Oh, não, Deus não pode ter prazer em mim, não com a maneira como eu ajo."

*Capítulo 9*

Deus não tem prazer em sua vida por você fazer tudo certo. Ele tem prazer em você por você ter colocado sua fé em Jesus, Aquele que fez tudo certo por você.

## O QUE JESUS FEZ POR NÓS

> Deus tornou pecado por nós aquele que não tinha pecado, para que nele nos tornássemos justiça de Deus.
>
> *2 Coríntios 5:21*

Não creio que a maioria de nós entenda o conceito de Jesus ser nosso Substituto. Significa que Ele tomou nosso lugar e sofreu tudo o que merecemos para podermos tomar Seu lugar e desfrutar tudo o que Ele merece.

Pense no exemplo de uma professora escolar. Se ela precisar faltar um dia na escola, uma substituta é chamada para assumir o seu lugar naquele dia. Se a substituta for qualificada e fizer o que lhe for designado, a professora regular não precisa voltar e refazer o trabalho, pois foi feito enquanto ela estava fora — foi feito para ela por sua substituta.

Jesus foi o nosso Substituto. Por causa do que Ele fez por nós, fomos feitos herdeiros de Deus e coerdeiros com Cristo (Romanos 8:17). A Bíblia diz que fomos feitos mais do que vencedores e adquirimos uma vitória inigualável por meio daquele que nos amou e se entregou por nós (Romanos 8:37).

Você sabe o que significa para cada um de nós ser mais que vencedor? Significa que Jesus venceu, e nós recebemos a vitória.

Você sabe o que significa sermos herdeiros de Deus e coerdeiros com Cristo? Significa que Jesus fez tudo que era necessário para se tornar o Herdeiro e Possuidor de tudo que Deus, o Pai, tem — e depois se voltou para nós e disse: "Agora, se vocês colocarem a

*Adoração e Transformação*

sua fé em mim, serão coerdeiros comigo." Por causa da fé, obtemos tudo que Jesus conquistou e merece.

Se eu herdasse algum dinheiro, meus filhos automaticamente se tornariam coerdeiros comigo na minha herança. Foi exatamente isto que aconteceu conosco; Jesus foi feito Herdeiro de tudo que o Pai possui, e tomando o nosso lugar, Ele nos fez coerdeiros de tudo isso com Ele.

Se realmente entendermos o que foi feito por nós através da obra substitutiva de Jesus Cristo, começaremos a viver na plenitude de alegria e paz que Deus sempre pretendeu que vivêssemos. Seremos tremendamente felizes por sermos salvos — se realmente entendermos o que significa ser salvo.

## O SIGNIFICADO DA SALVAÇÃO

Em Lucas 10:20, Jesus disse aos Seus discípulos: "Alegrem-se, não porque os espíritos se submetem a vocês, mas porque seus nomes estão escritos nos céus."

Creio que o nosso nível de alegria como crentes em Jesus Cristo está diretamente ligado à profundidade do nosso conhecimento sobre o que significa ser salvo. Significa que por colocarmos nossa fé no Filho de Deus Jesus Cristo, fomos salvos do inferno, da maldição, do pecado, da culpa e da condenação. Mas também significa que pelo fato de a natureza do Deus Todo-Poderoso ter sido depositada em nosso interior, e por temos em nosso espírito a semente incorruptível do Deus Todo-Poderoso, podemos ter a certeza de que iremos mudar.

> Todo aquele que é nascido de Deus não pratica o pecado [de modo deliberado, consciente e habitual], porque a semente de Deus permanece nele [o Seu princípio de vida, a semente divina, permanece permanentemente den-

*Capítulo 9*

tro dele]; ele não pode estar no pecado, porque é nascido de Deus.

*1 João 3:9, Amplified Bible, tradução livre*

A Bíblia diz que por causa do que Jesus Cristo realizou na cruz por nós, a morte foi absorvida pela vida. Haja o que houver em nossa carne que partilhe da morte, não é forte o bastante para se opor a fato de Deus estar dentro de nós produzindo vida.

Porque você e eu temos a vida de Deus dentro de nós, estamos diariamente nos transformando, e não há nada que o inimigo possa fazer a respeito disso. Deus está operando em nós, completando o que Ele começou.

Quando o diabo começar a nos acusar e tentar fazer com que nos sintamos mal com nós mesmos, devemos lhe dizer: "Satanás, você é um mentiroso. Estou crescendo espiritualmente todos os dias. Tenho me tornado cada vez mais doce. Amo as pessoas cada vez mais. Estou me tornando mais afetuoso e mais generoso e dou as coisas com mais rapidez quando Deus me diz para fazer isso. Tornei-me mais alegre, bondoso e compassivo, mais manso e pacífico a cada dia que passa — e não há nada que você possa fazer a respeito disso, diabo. Deus está em mim; Ele está me transformando! Você pode me dizer o quanto sou podre, e eu lhe direi quem sou em Cristo."

Bem no meio de todas as acusações do diabo, devemos dizer: "Obrigado, Senhor, pois Tu estás me transformando. Eu Te adoro, engrandeço o Teu nome. Não há ninguém como Tu. Eu Te amo Senhor. Eu Te amo; eu Te amo; eu Te amo."

## O PODER DO LOUVOR PESSOAL

Mas quando você orar vá para seu quarto, feche a porta e ore a seu Pai, que está em secreto. Então seu Pai, que vê em secreto, o recompensará.

*Mateus 6:6*

*Adoração e Transformação*

Creio sinceramente que se você começar a se prostrar e a adorar a Deus como fazia o rei Davi começará a ver coisas maravilhosas acontecerem em sua vida. Você será liberto de todo cativeiro.

Como Jesus nos disse, existem certas coisas que devemos fazer em particular. Existem momentos nos quais entro em meu quarto, tranco a porta, danço e adoro diante do Senhor, às vezes chorando e às vezes rindo sozinha. Se alguém me visse, poderia achar que eu deveria ser presa. Em particular, eu me expresso livremente sem inibições; não preciso me preocupar em escandalizar ou confundir ninguém.

Se agir assim abertamente, o mundo lhe dirá que você está louco. Eles não entendem como você se sente, pois não têm o mesmo relacionamento com Deus que você. Entretanto, você pode fazer isso em particular, entre você e Deus apenas, e verá bons frutos brotarem em sua vida. O fruto é resultado do que Deus vê, e não do que as pessoas veem.

Creio que todos nós deveríamos entrar em um lugar privado e nos alegrarmos diante do Senhor, prostrando-nos diante dele, erguendo nossas mãos em louvor; e se necessário, até chorando em Sua Presença. A adoração e o louvor não devem ficar confinados ao culto da igreja.

Adoro a Deus em público, quando me reúno com outras pessoas e elas estão adorando, e adoro em casa sozinha. Tanto o louvor e a adoração públicos quanto particulares são muito importantes. Eu o encorajo a se dedicar a ambos com frequência.

### O QUE DEVO FAZER PARA AGRADAR A DEUS?

> Então lhe perguntaram: "O que precisamos fazer para realizar as obras que Deus requer?" Jesus respondeu: "A obra de Deus é esta: crer naquele que ele enviou."
>
> *João 6:28-29*

*Capítulo 9*

Deus está me transformando, e Ele está transformando você. E Ele tem prazer em nós. Não estamos ainda onde precisamos chegar, mas graças a Deus, pois também não estamos onde estávamos antes. O Senhor vê o nosso progresso, e não apenas o quanto ainda precisamos melhorar.

No capítulo 6 do evangelho de João, algumas pessoas perguntaram a Jesus: "O que precisamos fazer para realizar as obras que Deus requer?" O que elas estavam realmente lhe perguntando era: "O que devemos fazer para agradar a Deus?"

Jesus respondeu dizendo: "Creiam."

O que Jesus estava dizendo a elas quando Ele lhes falou para crerem foi que elas deviam crer no que as Escrituras diziam a Seu respeito.

O que a Bíblia nos diz sobre Jesus? Ela nos diz que Aquele que não conheceu pecado se tornou pecado por nós para podermos ser feitos justiça de Deus nele (2 Coríntios 5:21). Como vimos as Escrituras também nos dizem que Ele está nos transformando, e assim nós estamos experimentando níveis mais elevados de glória (2 Coríntios 3:18). Pouco a pouco os nossos inimigos são derrotados (Deuteronômio 7:22). A mudança é um processo que requer tempo.

Se tudo isso é verdade, então por que temos tanta dificuldade em crer no fato de que a cada dia estamos sendo mudados, através do poder do Espírito Santo, pois Ele habita dentro de nós e assim estamos sendo transformados e transfigurados? Precisamos crer antes de ver — é dessa forma que as coisas funcionam na economia de Deus. No mundo somos ensinados a crer no que vemos, mas Deus está nos ensinando a crer no que Ele diz, e então veremos.

Na nossa carnalidade, perguntamos: "O que devemos fazer?" Precisamos aprender que a obra que nos foi designada é espiritual — devemos crer. Somos "crentes" e não "fazedores". Nós cremos, e o Espírito Santo trabalha em nós.

*Adoração e Transformação*

Devemos entrar no descanso de Deus e crer que Ele está operando em nosso favor (Hebreus 4:3,10,11). Ele está sentado nos lugares celestiais, nós estamos assentados juntamente com Ele (Efésios 2:6). Estar sentado significa descanso, Jesus está esperando que Deus Pai coloque todos os Seus inimigos como estrado para os Seus pés (Hebreus 1:13). Estamos esperando a mesma coisa em nossas próprias vidas. Cada dia nos aproximamos mais da vitória completa. Aleluia!

Quando louvamos a Deus antes de vermos uma mudança, estamos dizendo com os nossos atos que cremos. Entramos no Seu descanso; estamos sentados e esperando que Ele coloque os nossos inimigos como estrado para os nossos pés. Enquanto louvamos a Deus durante o nosso tempo de espera, estamos declarando que cremos no fato de já termos a vitória, e estamos simplesmente esperando que ela se manifeste. Estamos dando evidências de que cremos que a batalha pertence ao Senhor.

# Capítulo 10

## Adore a Deus com a Consciência Limpa

> Dou graças a Deus, a quem sirvo com a consciência limpa, como o serviram os meus antepassados, ao lembrar-me constantemente de você, noite e dia, em minhas orações.
>
> *2 Timóteo 1:3*

**A verdadeira adoração** deve brotar do coração do adorador. Ela não é, e nunca poderá ser meramente um comportamento aprendido. Deus está interessado no coração do homem acima de qualquer coisa. Se o coração não for puro, nada que vem do homem é aceitável a Deus.

Qualquer obra oferecida com motivações impuras é inaceitável e o mesmo acontece com a adoração fingida que não vem de um coração puro e de uma consciência limpa.

A consciência na verdade é a melhor amiga do homem, pelo fato de que ela ajuda o crente a conhecer de forma contínua e inegável o que é agradável a Deus e o que não é. Ela é o melhor pregador que alguém pode ter na vida e destina-se a nos ensinar a vontade de Deus.

*Capítulo 10*

A consciência é iluminada pela Palavra de Deus; portanto, quanto mais da Sua Palavra uma pessoa aprender, mais ativa sua consciência será. Existem coisas que agora estou convencida de que estão erradas em minha vida a respeito das quais há alguns anos eu sentia muito pouca ou nenhuma convicção. Embora eu fosse cristã desde os nove anos de idade, só me tornei uma cristã séria e comprometida em 1976. Suponho que eu estivesse crescendo espiritualmente durante todo esse tempo antes de 1976, mas era um crescimento muito pequeno se comparado ao que experimentei desde então.

A principal razão dessa mudança foi o fato de eu realmente ter começado a estudar a Palavra de Deus em 1976 depois que o Espírito Santo encheu minha vida de uma nova maneira. Embora tivesse nascido de novo antes dessa época, não era cheia do Espírito Santo. Tinha o Espírito Santo em minha vida, mas, como costumo dizer: "O Espírito Santo não me tinha."

Eu fazia muitas concessões. Estava com um pé no reino de Deus e o outro no mundo. Era uma crente morna. Tinha o suficiente de Jesus para me manter fora do inferno, mas não o suficiente para fazer com que eu andasse em vitória. Obviamente, Jesus não vem em pedaços, de modo que, na verdade, eu o tinha por inteiro, mas Ele não tinha tudo de mim. Assim, eu era carnal, e não representava uma boa testemunha para a causa de Cristo.

## UMA CONSCIÊNCIA ILUMINADA

Digo a verdade em Cristo, não minto; minha consciência [iluminada e estimulada] pelo Espírito Santo testifica comigo.

*Romanos 9:1, Amplified Bible, tradução livre*

Vemos que Paulo se referiu à sua consciência como iluminada pelo Espírito Santo. Aquele homem podia dizer pela sua consciência que

*Adore a Deus com a Consciência Limpa*

o seu comportamento era aceitável a Deus, e estou certa de que ele podia, do mesmo modo, discernir quando não era. Esta é a função da consciência.

Paulo falou da importância de manter nossa consciência limpa. Uma das principais funções do Espírito Santo em nossas vidas é nos ensinar toda a verdade, nos convencer do pecado e da justiça (João 16:8,13).

> Por isso procuro sempre me exercitar e me disciplinar [mortificando o meu corpo, e as minhas afeições carnais, os apetites do corpo e os desejos mundanos, esforçando-me em todos os aspectos] para conservar minha consciência limpa (inabalável e inculpável), isenta de ofensa diante de Deus e dos homens.
>
> *Atos 24:16, Amplified Bible, tradução livre*

Se Paulo fez tamanho esforço para ter uma consciência limpa, podemos presumir com certeza que isso deve ser muito importante. Como vimos em 2 Timóteo 1:3, Paulo adorava a Deus com uma consciência limpa e pura. Essa também é a única maneira de podermos oferecer uma adoração aceitável.

É importante que eu deixe este ponto claro. Não quero oferecer métodos chamados de "adoração" como um meio de se obter vitória ou bênçãos do Senhor. Ela definitivamente traz vitória à vida do adorador, mas conforme eu disse anteriormente, um indivíduo não é verdadeiramente um adorador a não ser que a adoração seja oferecida com um coração puro e uma consciência limpa.

Em poucas palavras, significa que não podemos adorar adequadamente a Deus tendo algum pecado conhecido em nossas vidas. A confissão de pecados deve ser o prelúdio à verdadeira adoração. Devemos nos aproximar de Deus com uma consciência limpa. Não há paz para a pessoa que tem a consciência culpada. A sua fé

*Capítulo 10*

não funcionará; portanto, suas orações não serão atendidas. Os dos versículos que se seguem provam isso:

> Mantendo a fé e a boa consciência que alguns rejeitaram e, por isso, naufragaram na fé.
>
> *1 Timóteo 1:19*

> Devem apegar-se ao mistério da fé com a consciência limpa.
>
> *1 Timóteo 3:9*

## SEJA PERFEITO

> Portanto, sejam perfeitos [crescendo até a maturidade completa de piedade na mente e no caráter, tendo alcançado o nível de virtude e integridade adequado], como perfeito é o Pai celestial de vocês.
>
> *Mateus 5:48, Amplified Bible, tradução livre*

A Bíblia nos ordena que sejamos perfeitos assim como o nosso Pai celestial é perfeito. A não ser que entendamos isso adequadamente, com facilidade nos sentiremos derrotados e até amedrontados. A tradução da *Amplified Bible* anteriormente citada deixa isso claro. "Perfeito" é um estado de maturidade espiritual em direção ao qual crescemos. Precisamos continuar prosseguindo para o alvo da perfeição, movidos por um coração sincero que deseja agradar a Deus, abrindo mão diariamente dos erros que ficaram para trás.

Em outras palavras, o nosso coração pode ser perfeito, mas o nosso comportamento não o é. Melhoramos o tempo todo e agradecemos a Deus por isso, mas ainda não chegamos lá. A Bíblia diz que ao piscar de um olho seremos todos transformados. Creio que

*Adore a Deus com a Consciência Limpa*

tudo que ainda for necessário ser feito em cada um de nós, quando Jesus voltar, será feito no piscar de um olho. Enquanto isso, continuamos crescendo e prosseguindo para o alvo.

## O CAMINHO PARA UMA CONSCIÊNCIA LIMPA

Para ter uma consciência limpa, uma pessoa não deve pecar, ou deve confessar os seus pecados quando cometer erros. Crescemos e descobrimos que pecamos menos à medida que o tempo passa; entretanto, a Bíblia nos ensina que um pouco de fermento leveda toda a massa. Até um pequeno pecado faz com que necessitemos ser purificados.

É ótimo estar progredindo diariamente, mas sou muito grata pelo dom do arrependimento. I João I:9 afirma que podemos admitir nossos pecados, confessá-los, e que Deus é fiel para nos purificar completamente de toda injustiça. Que boa notícia! Podemos viver diante de Deus com uma consciência completamente limpa.

Paulo não vivia diante de Deus e do homem com uma consciência completamente limpa por nunca ter cometido erros. Sabemos que isso é exatamente o contrário da verdade. Ele cometeu erros. Chamou a si mesmo de "o maior de todos os pecadores" e disse que não havia chegado à perfeição.

Através da obediência sincera e usando o dom do arrependimento quando falhava, Paulo vivia diante de Deus e do homem com uma consciência limpa e, assim, podia adorá-lo adequadamente liberando sua fé para ver as suas necessidades sendo atendidas.

Por que eu me refiro ao arrependimento como um dom? Já vi pessoas que não conseguiam lamentar por seus pecados, e isso é algo terrível. Quando a consciência está cauterizada (endurecida), o homem é incapaz de sentir o peso e a seriedade do seu comportamento errado. Por isso devemos todos orar parar termos uma consciência sensível a Deus.

*Capítulo 10*

## O QUE FAZER QUANDO A SUA CONSCIÊNCIA O CONVENCE

Ter convicção do pecado não significa condenação; em vez disso, essa convicção tem o propósito de provocar em nós o arrependimento. Ela é designada para ajudar a você e a mim a nos sentirmos melhor, e não pior. Durante anos, não conheci essa verdade. Todas as vezes que o Espírito Santo me convencia do pecado, eu imediatamente me sentia culpada e condenada. Era algo realmente terrível para mim. Havia me tornado uma estudiosa aplicada da Palavra de Deus; assim, quanto mais eu a estudava, mais era convencida do pecado, de modo que parecia estar me sentindo culpada e condenada o tempo todo.

Foi um dia maravilhoso de libertação para mim quando vi a verdade de forma definitiva. A verdade realmente nos liberta, como João 8:32 diz. Agora fico feliz quando sou convencida de pecado em minha vida. Não fico feliz por estar pecando, mas fico feliz porque agora posso me arrepender do pecado e pedir a Deus que me ajude a crescer e superá-lo. Também posso discernir agora quando Satanás está apenas tentando fazer com que eu me sinta culpada e quando a minha consciência, iluminada pelo Espírito Santo, está realmente me convencendo.

Você precisa estar ciente de que Satanás é um legalista e o acusador dos irmãos. Há uma diferença entre suas falsas acusações e a verdadeira convicção segundo Deus.

Realmente quero encorajá-lo a não fazer coisas sobre as quais você não sinta paz. Deixe sua consciência ser sua amiga, e não uma fonte de tormento. Colossenses 3:15 afirma que a paz é o árbitro em nossa vida que deve ter a palavra final sobre todas as questões que levantam dúvida em nossa mente. Em outras palavras, se algo nos dá uma sensação de paz, então deve ser aceito, e se algo não nos deixa sentir paz, então deve ser lançado fora.

Ser tentado pelo pecado não é o mesmo que pecar. Tentação não é pecado. Todos nós somos tentados a fazer coisas erradas. Sa-

*Adore a Deus com a Consciência Limpa*

tanás garante isso. Quando somos tentados, porém, podemos clamar pelo Espírito Santo para nos ajudar a resistir. Não tente resistir na sua própria força e poder; peça a ajuda do Espírito Santo. Ele está sempre por perto para ajudá-lo em tudo que você precisar em sua vida.

## UM EXEMPLO DA VIDA DO REI DAVI

Como é feliz aquele que tem suas transgressões perdoadas e seus pecados apagados! Como é feliz aquele a quem o Senhor não atribui culpa e em quem não há hipocrisia!

Enquanto eu mantinha escondidos os meus pecados, o meu corpo definhava de tanto gemer. Pois dia e noite a tua mão pesava sobre mim; minhas forças foram-se esgotando como em tempo de seca. Pausa

Então reconheci diante de ti o meu pecado e não encobri as minhas culpas. Eu disse: Confessarei as minhas transgressões ao Senhor, e tu perdoaste a culpa do meu pecado. Pausa

Portanto, que todos os que são fiéis orem a ti enquanto podes ser encontrado; quando as muitas águas se levantarem, elas não os atingirão.

Tu és o meu abrigo; tu me preservarás das angústias e me cercarás de canções de livramento. Pausa

*Salmos 32:1-7*

O rei Davi estava muito infeliz até finalmente se arrepender do seu pecado. Os versículos acima mostram claramente que a sua alegria voltou somente depois que ele se arrependeu. Davi havia cometido adultério com Bate-Seba e assassinado seu marido. Um ano havia se passado, e ele ainda estava ignorando o problema. Provavelmente ele fazia o que todos somos tentados a fazer quando pecamos

*Capítulo 10*

— dava desculpas e era enganado pelos seus próprios argumentos. Talvez nem todos nós lidemos com pecados tão sérios quanto os que Davi estava enfrentando, mas pecado é pecado. O ponto é que até o admitirmos, confessarmos e nos arrependermos (que é abandonar o pecado completamente e seguir por outra direção), não seremos capazes de adorar a Deus com um coração puro ou uma consciência limpa.

Observe no versículo 7 como Davi afirma que Deus agora o cercou com cânticos de livramento. Depois da sua confissão de pecado, ele está cantando e gritando. Isso me soa como louvor e adoração.

## A OBEDIÊNCIA É O MELHOR A SE FAZER

O nível de desobediência encontrado entre pessoas que se consideram cristãs é absolutamente chocante. Como você provavelmente está a par, estamos passando por um grave declínio moral em nossa sociedade hoje. Como cristãos, estamos no mundo, mas não devemos pertencer ao mundo, de acordo com o que Jesus disse. A diferença entre o mundo e aqueles que são crentes em Jesus Cristo pode ser resumida em poucas palavras. Aqueles que são do mundo governam suas próprias vidas. Fazem tudo o que querem fazer, ou sentem vontade de fazer, sem se importarem com como isso afeta os outros, ou se isso é ou não aprovado por Deus.

Os cristãos, por outro lado, devem procurar andar dentro da vontade de Deus. Devem ser conduzidos, guiados e voluntariamente controlados pelo Espírito Santo porque Ele sempre nos conduzirá à vontade de Deus.

Existem dezenas de problemas que acontecem todos os dias, exigindo de nós uma decisão. Nossa consciência nos ajuda a tomar essas decisões. A Palavra de Deus e os apelos do Espírito nos ajudam a tomá-las. Mas o fato é que precisamos tomar essas decisões.

*Adore a Deus com a Consciência Limpa*

Deus quer que escolhamos Sua vontade, mas Ele não irá impô-la a nós.

Jesus disse em João 14:15: "Se vocês me amam, obedecerão aos meus mandamentos." Observe que Ele não disse "Se vocês obedecerem aos meus mandamentos, Eu os amarei." O amor de Deus por nós é incondicional. Ele nos ama, pois Ele é amor, e não por causa de algo que fazemos ou deixamos de fazer. Entretanto, demonstramos o nosso amor por Ele através da nossa disposição em lhe obedecer. A obediência muitas vezes causa sofrimento.

Quando não conseguimos o que queremos, ou escolhemos fazer algo que realmente não queremos fazer, isso sempre dói. Quando nossos sentimentos não nos apoiam, é mais difícil fazer algo. Temos sentimentos, mas também temos uma vontade. A sua vontade é o chefe; ela é o "órgão" que decide com determinação o que será e ou não será feito. Ela é mais forte do que a mente e mais forte do que os sentimentos. Quando escolhemos deliberadamente fazer o que Deus nos pediu para fazer, embora nossos pensamentos e sentimentos não estejam nos apoiando, isso mostra o nosso amor pelo Senhor.

A obediência é em si mesma um tipo de adoração. A qualquer momento em que sou confrontada com uma situação difícil e opto por seguir a vontade de Deus em vez da minha, estou adorando e honrando a Deus. Estou mostrando um temor reverente e um assombro diante dele, expressando com minhas atitudes que estou colocando Deus acima de mim mesma ou da maneira como me sinto.

Creio que existem pessoas tentando oferecer o que acham ser adoração, mas na verdade não é o tipo de adoração que Deus deseja, pois está sendo oferecida com desobediência consciente ou com uma consciência culpada. Lembre-se de que João 4:24 afirma que Deus está procurando adoradores que o adorem em espírito e em verdade. Dar desculpas para o pecado ou enganar a si mesmo, não é a verdade.

127

*Capítulo 10*

## AGRADEÇA A DEUS PELO PERDÃO

Como eu disse, a obediência é sempre o melhor a se fazer. Mas como disse também, todos nós cometemos erros. Há momentos em que até os cristãos mais dedicados fazem escolhas erradas. É aí que precisamos nos arrepender rapidamente, pedindo e recebendo o perdão de Deus. Não estou fazendo disso uma lei ou uma regra, mas provavelmente a melhor coisa a fazer é sempre começar nossas orações com o arrependimento pelo pecado. Simplesmente peça a Deus para perdoá-lo por qualquer coisa que você tenha feito de errado. Se estiver ciente de situações específicas, mencione-as. Se nada em particular lhe vem à mente, peça-lhe para perdoar qualquer pecado em sua vida, até aqueles que você talvez não esteja vendo ainda. Peça ao Senhor para convencê-lo do pecado, dizendo-lhe que você quer fazer as coisas certas. Peça a Ele graça, ou seja, o Seu poder que o capacita e o ajuda a corrigir o que Ele lhe mostrar que precisa ser corrigido.

Depois de agirmos assim, você e eu devemos ser capazes de adorar com a consciência limpa.

## CAPÍTULO 11

# Transformação e Transfiguração

> Não se amoldem ao padrão deste mundo, mas transformem-se pela renovação da sua mente, para que sejam capazes de experimentar e comprovar a boa, agradável e perfeita vontade de Deus.
>
> *Romanos 12:2*

**Como vimos**, a Bíblia fala sobre transformação e transfiguração. Se estudarmos estas palavras, aprenderemos que ambas vêm da palavra grega *metamorphoo*, que significa "mudar para outra forma".[1]

Temos um ótimo exemplo deste processo de metamorfose nos girinos, que se transformam em sapos, e nas lagartas, que se transformam em borboletas.

Quando estava me preparando para escrever esta seção sobre a metamorfose, estudei o assunto. Uma lagarta que está se transformando em borboleta é o melhor exemplo de metamorfose. Uma lagarta come até crescer e chegar a um determinado tamanho. Naquele momento ela se envolve com uma cobertura chamada casulo, que ela tece. Ela pode se enterrar no chão ou se esconder atrás de

*Capítulo 11*

um pedaço de casca de árvore solta. Poderíamos dizer que é uma espécie de enterro.

Consigo me identificar com a ideia de enterro porque a Bíblia nos ensina que precisamos morrer para nós mesmos a fim de vivermos inteiramente para Cristo. O apóstolo Paulo disse em Gálatas 2:20: "Fui crucificado com Cristo. Assim, já não sou eu quem vive, mas Cristo vive em mim. A vida que agora vivo no corpo, vivo-a pela fé no filho de Deus, que me amou e se entregou por mim."

Experimentei essa morte do *eu*, e ainda a experimento, quando Deus está tratando comigo sobre algo que quero e não é a vontade dele para mim. Existem coisas para as quais precisamos morrer: atitudes, padrões de pensamento, formas de agir e falar, nossos próprios planos e desejos. É muito mais fácil discutir isso do que realmente passar por isso. Seja na esfera física ou espiritual, a morte em qualquer nível é dolorosa. Não existe cruz sem dor. Jesus disse que devemos tomar nossa cruz, e segui-lo. Na tradução da *Amplified Bible*, lemos o seguinte:

> Então Jesus chamou [a Si] a multidão e os discípulos e disse a eles: Se alguém quiser acompanhar-me, negue-se a si mesmo [esqueça, ignore, deserde, e perca de vista a si mesmo e os seus próprios interesses], tome a sua cruz e [unindo-se a Mim como um discípulo e andando ao Meu lado], siga-me [agarrando-se firmemente e continuamente a Mim].
>
> *Marcos 8:34, Amplified Bible, tradução livre*

Assim como a lagarta precisa passar por uma mudança para ser transformada em uma borboleta, nós também precisamos passar por mudanças que exigem um tipo de morte. Quando essas mudanças que Deus deseja ver em nós começam a acontecer, são dolorosas.

*Transformação e Transfiguração*

Como a lagarta precisa encontrar um lugar para se esconder em silêncio, Deus também provê um lugar para nós.

Morrer para si mesmo pode ser algo caótico; não é algo que possamos compartilhar com todos os nossos conhecidos. Creio que Deus designa a cada um de nós o que chamo de "anos de silêncio". Esses anos representam o tempo em que Deus nos mantém escondidos, e Ele está fazendo uma grande obra em nós. Está nos transformando à Sua imagem para que possamos viver para a Sua glória.

## OS ANOS DE SILÊNCIO

À medida que eu estudava a Bíblia, aprendi que a maioria dos homens e mulheres a quem Deus usou grandemente teve de passar por alguns anos de silêncio. Este foi um período em suas vidas em que Deus pareceu escondê-los enquanto trabalhava neles e fazia mudanças no seu caráter que seriam necessárias para a sua futura missão. Eles entraram nesses períodos de uma maneira e saíram transformados.

Por exemplo, Moisés era um homem que sentia o chamado de Deus para a sua vida, mas estava tentando fazer justiça com suas próprias mãos. Ele viu um de seus irmãos, um hebreu, sendo maltratado e matou o egípcio que o estava maltratando. Deus não levou Moisés a tomar esta atitude; ele agiu emocionalmente. A atitude do seu coração pode ter sido certa — ele não queria ver pessoas inocentes sendo maltratadas — mas o tempo dele estava errado. Estar fora do tempo de Deus equivale a estar fora da Sua vontade. Antes que Moisés pudesse ser usado por Deus, ele precisava aprender algumas duras lições.

Quando seus atos foram descobertos e ele foi confrontado, Moisés fugiu do Egito com medo, outro ato que Deus não o dirigiu a fazer. Podemos ver neste exemplo que Moisés era impaciente e medroso, traços de caráter que precisariam ser removidos antes que

*Capítulo 11*

Deus pudesse fazer algo ainda maior com Moisés conforme Ele havia planejado.

Moisés fugiu para o deserto, e ali passou quarenta anos. Ele se casou e teve filhos, mas estou certa de que também teve muito tempo para passar com Deus durante esses "anos de silêncio". O seu destino era conduzir os filhos de Israel para fora do cativeiro e a entrarem na Terra Prometida, e ali estava ele no deserto apascentando ovelhas. Estou certa de que isso não parecia fazer muito sentido para Moisés, assim como algumas das situações nas quais nos encontramos não parecem fazer sentido para nós.

A Bíblia não nos dá um relato detalhado desses anos; aparentemente foram anos em que as coisas que aconteciam entre Deus e Moisés eram de caráter particular e provavelmente também eram dolorosas. Moisés havia deixado sua família e amigos e tudo aquilo com o qual estava familiarizado. Tenho certeza de que, para Moisés, parecia que ele estava se afastando do que sentia ter sido chamado a fazer. Ele mal sabia disso, mas na verdade estava sendo preparado para o seu chamado.

Quando Moisés foi para o deserto, poderíamos dizer que ele estava "cheio de si mesmo". Era autoconfiante, seguro de si mesmo e senhor de suas atitudes. Quando Deus apareceu a Moisés na sarça ardente e lhe disse que ele havia sido escolhido para conduzir o povo de Israel para fora do cativeiro, vemos um homem totalmente diferente. Agora ele estava tão humilde, tão quebrantado, que Deus precisou zangar-se com ele para fazer com que ele avançasse pela fé (ver Êxodo capítulos 2 a 4). A Bíblia diz em Números 12:3: "Ora, Moisés era um homem muito manso, mais do que qualquer outro que havia na terra." Imagine — ele havia entrado no deserto cheio de si mesmo e dos seus planos, e saiu como o homem mais manso da face da terra. A mansidão não é fraqueza; é força sob controle. Ele tinha força anteriormente, mas não era controlada. Era impulsionado pelas emoções, mas agora vemos um homem diferente. Ele era forte, mas não se moveria a não ser que soubesse que Deus estava por trás de suas ações.

Poderíamos dizer que ele havia sido transformado de uma lagarta em uma borboleta ou de um girino em um sapo. Em outras palavras, Moisés havia definitivamente mudado; ele foi transformado!

## ABRAÃO, JOSÉ, JOÃO BATISTA E JESUS

Vemos o mesmo princípio na vida de Abraão. Gênesis 12 nos ensina que um homem chamado Abrão foi chamado por Deus para deixar sua família, sua casa e tudo que lhe era familiar e ir para um lugar que Deus lhe mostraria.

Imagine — ele deixou tudo, sem nem sequer saber para onde deveria ir. Como resultado de sua obediência radical, Deus lhe fez algumas promessas radicais — promessas de bênção, riqueza, fama, liderança, descendentes e daí por diante. Deus fez uma aliança com Abraão, dizendo-lhe que se ele cresse, isso lhe seria imputado como justiça diante de Deus, e ele seria cuidado de todas as formas.

Abraão creu em Deus! Que grande declaração. Isto é tudo que Deus está pedindo a qualquer um de nós para fazer: "Crer". Não apenas para *ter* coisas, mas para *passar* por coisas. Abraão estava crendo em Deus para *ter* um filho que seria seu herdeiro, mas ele precisou crer em Deus para *passar* por algumas coisas difíceis e prolongadas antes de ver a manifestação do seu filho prometido. Poderíamos dizer que aqueles anos de espera foram seus "anos de silêncio".

Durante aqueles anos também vemos Abrão (o nome de Abraão antes de Deus mudá-lo, como vemos em Gênesis 17:5, para um nome que significava pai de multidões, porque Deus fez dele o pai de muitas nações) tomando atitudes que não eram inspiradas por Deus quando seguiu o conselho de sua mulher e tomou sua concubina para ser sua segunda esposa. Eles estavam cansados de

*Capítulo 11*

esperar pela promessa, de modo que resolveram cuidar das coisas por si mesmos. Ela ficou grávida de Abrão, e deu à luz Ismael. Embora Abrão amasse Ismael, ele não era o filho prometido e com o tempo trouxe grande dor a Abrão e dificuldades à sua vida.

Há momentos em nossas vidas em que Deus simplesmente nos deixa seguir o nosso próprio caminho para podermos aprender pela experiência que o "nosso caminho" não funciona. Sofremos durante esses anos. Ficamos confusos, frustrados e passamos por todo tipo de tristezas; entretanto, por fim, emergimos do casulo do nosso sofrimento transformados. Finalmente estamos prontos para fazer as coisas do jeito de Deus! (Gênesis, nos capítulos 12 a 17, conta a história de Abraão que acabo de compartilhar).

E quanto a José? Ele era um jovem que teve um sonho da parte de Deus. Contou o seu sonho de maneira impetuosa aos seus irmãos, que ficaram com ciúmes e o odiaram por isso. Eles o venderam como escravo e disseram a seu pai que um animal selvagem o havia matado.

José foi levado para o Egito e passou muitos anos difíceis ali. Mentiram para ele, mentiram a seu respeito, e o prenderam por um crime que ele não havia cometido; entretanto, em meio a tudo isso, Deus tinha um plano. A Bíblia nos fala sobre as coisas que ele passou exteriormente, mas não sabemos, nem podemos imaginar, o que ele passou interiormente. A dor que temos dentro de nós é muito pior que a dor da situação na qual estamos.

Pode ser resultado de anos sem entender o que está acontecendo ou por que está acontecendo ou de pessoas que não nos entendem e nos julgam de forma crítica. Começamos pensando: *Só quero fazer a vontade de Deus. Por que é tão difícil?* No entanto, não percebemos nessa fase de metamorfose que ainda somos girinos e lagartas. Podemos dizer que queremos fazer a coisa certa, mas nossas falhas de caráter nos impediriam de agir assim. Deus precisa nos transformar; não há outra maneira. Isto é doloroso, mas é um

*Transformação e Transfiguração*

processo que por fim traz liberdade e alegria. Assim como Jesus, precisamos suportar a cruz pela alegria do prêmio que está colocado diante de nós.

Enfrentamos testes tremendos pelos quais devemos passar durante esses anos de silêncio. Pense em quantas pessoas José precisou perdoar, em como foi necessário ele estar disposto a não se tornar amargo e ressentido. À medida que os anos se passavam mais parecia que ele havia sido esquecido. Entretanto DE REPENTE tudo começou a mudar drasticamente.

José tinha a reputação de ser capaz de interpretar sonhos. O Faraó teve um sonho que o perturbou e mandou chamar José. Deus deu a José sabedoria; ele deu a interpretação precisa e o rei o promoveu a principal superintendente sobre todos os seus bens. Uma fome estava a caminho, e Deus havia treinado José colocando-o em posição de ser usado para manter multidões de pessoas vivas durante aquele período da história. José passou por anos de silêncio — passou por testes difíceis – mas no fim foi promovido, e o mesmo acontece com todos que se recusam a desistir.

João Batista também teve anos de silêncio. Em Lucas capítulo 1 lemos a respeito do nascimento de João. O versículo 80 desse capítulo diz: "E o menino crescia e se fortalecia em espírito; e viveu no deserto, até aparecer publicamente a Israel."

Realmente não sabemos nada sobre João desde o momento do seu nascimento até o início do seu ministério descrito em Lucas 3:2, exceto que ele passou muitos anos vivendo no deserto. Creio terem sido anos em que o Espírito Santo treinou João para o seu futuro. Seu ministério foi curto, mas poderoso. Foi um tempo especial na história; tudo precisava estar certo. Creio que quanto mais intenso é o nosso treinamento, maior será o nosso destino.

O mesmo é verdade com relação ao próprio Jesus. Depois do Seu nascimento, exceto pela Sua circuncisão e dedicação no templo em Jerusalém quando tinha apenas oito anos (Lucas 2:7-39), não

135

*Capítulo 11*

lemos mais nada a Seu respeito até Ele completar doze anos (Lucas 2:41-51).

Depois, dos Seus doze anos até completar cerca de trinta anos, não há quase nada registrado sobre Ele. Tudo o que a Bíblia fala sobre Ele durante esses anos de silêncio é que Ele crescia e aumentava em favor diante de Deus e dos homens (versículos 40 e 52).

A frase "o menino crescia" diz muito. A passagem de Hebreus 5:8 e 9 nos ensina que Ele aprendeu a obediência por aquilo que sofreu, e o fato de haver completado Sua experiência fez com que Ele estivesse perfeitamente equipado para se tornar o Autor e a Fonte da salvação eterna. Na Sua humanidade, Jesus precisou aprender, precisou crescer, sofrer e adquirir experiência, assim como nós. Ele nunca pecou como nós pecamos, mas foi à nossa frente como nosso Pioneiro. Ele vai à frente, e nós o seguimos. Ele nos mostra o caminho para a vitória. A ÚNICA SAÍDA É ATRAVESSANDO! Não podemos fugir das situações difíceis; precisamos enfrentá-las com confiança, sabendo que Deus está do nosso lado e nunca nos deixará nem nos abandonará. Mesmo quando não sentimos Sua Presença, sabemos que Ele está conosco.

Durante esses anos, creio que todos estes homens, assim como Jesus, passaram muito tempo em louvor e adoração. Eles adoraram no deserto, e isso os ajudou a chegar à Terra Prometida. Em outras palavras, se adorarmos a Deus quando a vida não estiver agradável, veremos as Suas promessas se manifestarem em nossas vidas. Creio que a maneira como nos comportamos no deserto determina por quanto tempo precisaremos permanecer ali.

## OS ANOS DE SILÊNCIO EM MINHA VIDA

Não sou diferente de qualquer um de vocês ou de qualquer uma das pessoas sobre as quais acabamos de ler. Deus precisou tratar comigo, e foi doloroso. Não foi rápido. Levou muito mais tempo do que eu esperava ou planejava e foi muito mais doloroso do que eu pensei que poderia aguentar.

Foi empolgante o dia em que Deus me chamou para o ministério, mas eu não percebia o que precisaria passar até ser preparada para o meu chamado. Se soubesse, talvez eu não tivesse dito sim. Suponho que esse seja o motivo pelo qual Deus esconde certas coisas de nós e nos dá a graça para cada uma delas à medida que passamos por elas. Existem algumas coisas que simplesmente não precisamos saber antes do tempo. Só precisamos saber que Deus disse que Ele nunca permitirá que nos aconteça mais do que podemos suportar.

Pode parecer bom para as pessoas agora quando subo em uma plataforma em minhas conferências e ministro aos outros. Mas você deveria ter visto como eu era durante os anos de silêncio, enquanto estava sendo preparada para o ministério. Posso lhe dizer, não era algo bonito de se ver.

Certamente eu nem sempre fui uma mulher de fé. Passei por muitos altos e baixos emocionais — sentia muita raiva quando as coisas não aconteciam como eu queria. Foi muito difícil aprender a ser submissa à autoridade. No início não havia muitos dos frutos do Espírito operando através de mim. A semente estava no meu espírito, mas precisava ser desenvolvida. Devemos sempre nos lembrar de que os dons são dados, mas o fruto precisa ser desenvolvido.

Podemos ter um dom que pode nos levar a algum lugar, mas não ter caráter para nos mantermos nesse lugar se não nos submetermos ao treinamento de Deus.

Antes de ministrar no rádio e na televisão internacional, antes que muitas pessoas soubessem quem eu era, passei por "anos de silêncio", durante os quais eu tinha o meu sonho e a minha visão de Deus, mas nenhuma porta significativa se abria para mim. Tinha poucas oportunidades, mas tinha uma grande visão; assim, durante a maior parte do tempo eu me sentia frustrada e não havia em mim gratidão pelo que me era permitido fazer.

*Capítulo 11*

Ah, sim, eu precisava de muitas mudanças e ainda preciso, mas pelo menos entendo o processo agora. Lamento muito pelas pessoas que lutam contra Deus a vida inteira, sem nunca entender o que Ele realmente está tentando fazer. Precisamos confiar nele em tempos difíceis. Precisamos adorar no deserto, e não apenas na Terra Prometida. Os israelitas adoraram a Deus depois que atravessaram o Mar Vermelho e foram salvos. Eles cantaram e dançaram. Cantaram o cântico certo, mas do lado errado do rio. Deus quer ouvir nosso louvor antes de termos vitória. Se Ele não o ouvir, talvez nunca tenhamos vitória.

Passei por anos em que o diabo me dizia sem parar que eu estava louca, que não havia sido chamada por Deus e que eu faria papel de tola e fracassaria. Ele me garantia que nada do que eu fizesse daria bom fruto. Ele me dizia que meu sofrimento jamais terminaria e a dor nunca cessaria. Dizia-me que eu era louca de acreditar em algo que eu não podia ver.

Deus me deu graça para avançar e pouco a pouco, de glória em glória, eu mudei, e as coisas em minha vida mudaram de forma correspondente. Descobri que Deus libera para nós aquilo com o que somos capazes de lidar adequadamente. Cheguei a um ponto em minha vida em que não quero nada que Ele não deseje para mim. Se peço algo que Ele sabe que não posso lidar adequadamente, oro para que Ele não me dê isso. O pior estado em que o homem pode estar é aquele em que ele tem algo que Deus não o preparou para lidar.

Eu mudei. Às vezes mal consigo me lembrar de como eu era. Sei que eu era extremamente desagradável. Hoje, essa pessoa que eu costumava ser é como alguém que conheci há muito, muito tempo. Quando os anos de silêncio terminaram, fiquei feliz pela obra que Deus havia feito em mim por Sua graça. Não gostei deles enquanto estava passando por eles, nem os entendia, mas eu não seria quem sou hoje nem estaria onde estou sem eles.

*Transformação e Transfiguração*

## O DESCANSO DE DEUS

> Assim, ainda resta um descanso sabático para o povo de Deus; pois todo aquele que entra no descanso de Deus, também descansa das suas obras, como Deus descansou das suas.
>
> *Hebreus 4:9-10*

O material que li acerca de metamorfose descrevia as fases que se seguem depois que a lagarta tece um casulo atrás de um pedaço de madeira solta ou de alguma outra coisa que ela usa para se esconder. Ela entra em uma fase de descanso, e uma grande mudança começa a acontecer. A lagarta é transformada gradualmente em uma adulta e emerge como uma criatura totalmente nova.

Se você está perturbado e irritado, preocupado e esgotado por todas as mudanças que precisam ser feitas em você, por que não entrar no descanso de Deus? O esforço não irá ajudá-lo — nem a frustração ou a preocupação. Quando mais você descansar em Deus mais depressa verá mudanças. Se a tela se mexesse debaixo do pincel do artista, a pintura nunca seria terminada. A tela fica perfeitamente imóvel, totalmente submissa à sabedoria e criatividade do artista. É exatamente assim que precisamos ser com Deus. Ele sabe o que está fazendo e como fazê-lo. Devemos crer nele e entrar no Seu descanso.

Pare de guerrear com a sua própria carne o tempo todo. Entre no descanso de Deus e diga: "Senhor, não posso mudar a mim mesmo. Se Tu não puderes mudar-me, ninguém pode. Coloco-me totalmente em Tuas mãos, e espero em Ti para fazer as mudanças que sabes que precisam ser feitas em mim. Pai amado, creio não somente que tens a maneira certa de fazer isso, mas também creio que tens o tempo exato para fazê-lo." Ao fazer isso você pode desfrutar de seu relacionamento com Deus; você pode descansar em Seus braços de amor.

*Capítulo 11*

O processo de metamorfose irá doer. Deixe-o doer. Quanto mais você lutar com ele mais tempo demorará e a dor irá parecer pior. Uma mulher grávida tentando dar à luz sempre recebe instruções para relaxar e respirar. Cada dor que vem, na verdade, acelera o parto, mas com cada dor, ela é lembrada de relaxar e respirar. Embora a mudança doa, é melhor do que viver em constante infelicidade e desânimo. Deixe Deus realizar o que Ele precisa e deseja fazer em você.

Diga a Ele: "Senhor, quando Tu terminares comigo, não quero sequer me reconhecer. Não quero agir ou ser semelhante a nada que possa me lembrar do meu passado. Não quero agir como o velho *eu*, quero manifestar a nova criatura que vem através do novo nascimento."

## VOCÊ ADORA OU SE PREOCUPA?

Tendo os olhos fitos em Jesus, autor e consumador da nossa fé. Ele, pela alegria que lhe fora proposta, suportou a cruz, desprezando a vergonha, e assentou-se à direita do trono de Deus.

*Hebreus 12:2*

Às vezes, temos dificuldades de ver qualquer coisa de bom em nossas vidas. Isso acontece porque estamos olhando para o lugar errado. Olhamos demais para o que está errado conosco. A Bíblia não nos diz para olharmos para nós mesmos; ela nos diz para olharmos para Cristo. A mensagem é "olhai e vivei".

Em Números 21, lemos que quando os israelitas estavam no deserto, um grande número deles morreu por causa de uma praga de serpentes que havia se levantado contra eles em resultado do pecado. Moisés se prostrou diante de Deus e adorou-o. Ele voltou a sua atenção imediatamente para Deus, e não para si mesmo ou para qualquer outra pessoa, para resolver o problema.

Descobri que ao longo da Bíblia, quando as pessoas tinham um problema, elas adoravam. Pelo menos aquelas que eram vitoriosas faziam isso. Elas não se preocupavam — elas adoravam.

Eu lhe pergunto hoje: *você se preocupa ou adora?*

Moisés buscou a Deus para saber como lidar com as serpentes. Ele não criou o seu próprio plano e pediu a Deus para abençoá-lo; não tentou racionalizar uma resposta nem se preocupou — ele adorou. O seu gesto gerou uma resposta de Deus.

> O Senhor disse a Moisés: "Faça uma serpente e coloque-a no alto de um poste; quem for mordido e olhar para ela viverá."
>
> *Números 21:8*

Sabemos que o poste com a serpente de bronze representava a cruz e Jesus levando o nosso pecado sobre Ele. A mensagem ainda é a mesma hoje: "Olhai e vivei." Olhe para Jesus, para o que Ele fez, e não para si mesmo nem para o que você fez ou pode fazer.

A resposta para o seu problema, seja ele qual for, não é a preocupação, mas a adoração. Comece a adorar a Deus porque Ele é bom, e a Sua bondade será liberada em sua vida. Lembre-se de que a batalha pertence ao Senhor.

# CAPÍTULO 12

# Continue a Contemplar e a Adorar

> E todos nós, que com a face descoberta contemplamos
> a glória do Senhor, segundo a Sua imagem estamos sendo
> transformados com glória cada vez maior, a qual vem do
> Senhor, que é o Espírito.
>
> *2 Coríntios 3:18*

**Este versículo nos** diz que estamos sendo constantemente transfigurados à imagem do Senhor. Como? Continuando a contemplá-lo.

A palavra contemplar significa "olhar",[1] "fixar os olhos em"[2] alguma coisa, em vez de olhar de relance para alguma coisa. O que precisamos fazer é encarar Jesus e olhar de relance os nossos problemas, e não encarar os nossos problemas e olhar de relance para Jesus, apenas ocasionalmente.

Eu me aventuraria a dizer que a maioria das pessoas passa mais tempo pensando no que fizeram de errado do que pensando no que Jesus fez certo. Lembre-se de que o que Jesus fez, Ele fez *por nós*. Ele tomou o nosso lugar, levou a punição que merecíamos. Tornou-se o nosso Substituto. É nisso que deveríamos meditar.

*Capítulo 12*

## CONTINUE A CONTEMPLAR

Disse Jesus aos judeus que haviam crido nele: Se vocês permanecerem firmes na minha palavra, verdadeiramente serão meus discípulos. E conhecerão a verdade, e a verdade os libertará.

*João 8:31-32*

A Bíblia diz em 2 Coríntios 3:18 que somos transfigurados à medida que continuamos a contemplar Jesus através da Palavra. Se ansiamos ser transfigurados à imagem do nosso Senhor, precisamos entender o princípio da "continuidade".

Continuar requer um compromisso de longo prazo. Significa que estamos comprometidos em tempo integral, por assim dizer. Não estamos apenas "tentando" algo por uma semana para ver se conseguimos bons resultados, e se não conseguirmos, voltamos aos nossos velhos caminhos. Precisamos estudar a Palavra até que a Verdade de Deus se torne uma revelação para nós. Quando se torna viva e real dentro de nós, a Palavra começa a fazer a diferença em nossa vida diária.

Existem diversos encorajamentos na Palavra de Deus para não desistirmos. Gálatas 6:9 nos ensina a não nos cansarmos de fazer o bem, pois deveremos colher se não desanimarmos e desistirmos. Precisamos continuar em meio aos tempos difíceis. Precisamos suportar a dificuldade, entendendo que crescemos durante os tempos difíceis. Recebemos as promessas de Deus em consequência da fé e da paciência, e não somente em função da fé. Precisamos ser pacientes em meio às mudanças em nossas vidas. Outra palavra para paciência é *longanimidade*. Essa palavra significa sofrer por muito tempo. A disciplina é uma necessidade!

Se realmente quisermos ser transformados, transfigurados, mudados à imagem de Deus, precisamos continuar a estudar Sua Palavra e a adorá-lo.

Deixe-me lhe dar alguns exemplos.

*Continue a Contemplar e a Adorar*

## CONTINUE A ADORAR

Em seu livro *Worship: Unleashing the Supernatural Power of God in Your Life* (Adoração: liberando o poder sobrenatural de Deus em sua vida), Norvel Hayes conta uma história impressionante sobre um homem no Havaí que o procurou em busca de aconselhamento.[3]

O homem disse a Norvel que tinha três filhos e não tinha um emprego havia três anos. Devia 15 mil dólares e havia tentado tudo que conhecia para ganhar dinheiro.

Aquele homem possuía alguns equipamentos de grande porte que havia usado para colher cana-de-açúcar. Mas algumas grandes empresas haviam incorporado o negócio da cana-de-açúcar de modo que o equipamento desse homem ficou ocioso por anos.

O homem disse que não tinha dinheiro algum para comprar alimentos para seus filhos, sendo obrigado a recorrer ao auxílio-alimentação. Ele disse que havia conseguido com seus amigos todo o dinheiro possível, mas não podia mais pedir dinheiro emprestado. Então ele pediu ajuda a Norvel.

Norvel lhe disse: "Você precisa começar a adorar o Senhor todas as manhãs. Aprenda a louvá-lo com a sua boca. Antes de começar a crer em Deus para trabalhar em seu favor, você precisa começar a lhe agradecer por tudo que Ele é. Passe tempo adorando-o todos os dias. Olhe para Ele em adoração e louvor. Dê graças a Ele por tudo que Ele fez por você."

Mais tarde, Norvel encontrou o mesmo homem, e ele disse a Norvel que ele e sua esposa haviam adorado o Senhor como Norvel havia lhe dito que fizesse durante cinco meses, mas nada havia acontecido.

Então, uma manhã, no quinto mês, quando o homem estava se levantando depois de adorar a Deus de joelhos, ele recebeu um telefonema. Era de uma das grandes empresas que o havia tirado do negócio. Agora eles estavam lhe pedindo que fizesse um trabalho para eles usando seu equipamento por um período de seis semanas.

145

*Capítulo 12*

Eles lhe ofereceram um pagamento de 80 mil dólares pelo trabalho. Antes do término das seis semanas, ele recebeu da mesma empresa outro contrato no valor de 80 mil dólares.

O homem continuou dizendo que adorar e louvar a Deus o havia tirado das dívidas no período de um ano e que ele tinha 40 mil dólares na sua conta poupança e outro trabalho no valor de 80 mil dólares em vista.

Mais tarde, Norvel soube pelo pastor daquele homem que um ano e meio depois de começar a adorar a Deus, o dízimo daquele homem à igreja era de 65 mil dólares!

E tudo isso aconteceu, disse Norvel, porque esse homem havia ouvido a verdade e estava disposto a agir com base nela, dedicando tempo para buscar o Senhor, para se prostrar diante dele e adorá-lo e louvá-lo. Também devemos observar que o homem *continuou* a adorar durante cinco meses e nada aconteceu. Então, DE REPENTE, a sua vitória veio. E se o homem tivesse desistido no quarto mês? É isso que muitas pessoas fazem. Desistem cedo demais e nunca veem as coisas tremendas que Deus havia planejado para elas.

## ADORAMOS POR MEIO DOS DÍZIMOS E DAS OFERTAS

Nos primeiros anos do meu relacionamento com Deus, Ele tratou com meu marido e comigo para começarmos a dar cada vez mais. O que tínhamos não aumentou; na verdade, diminuiu por algum tempo. Passamos seis anos de tempos realmente difíceis financeiramente.

Ainda me lembro de quando passei por uma transição entre a fase de apenas tentar fazer algo para a fase de estar realmente decidida a continuar, por mais que o resultado demorasse.

Certo dia uma amiga veio me visitar e, durante nossa conversa, ela começou a me contar sobre várias maneiras como o Senhor estava abençoando sua família financeiramente. Eu queria ficar feliz por eles, mas ao mesmo tempo me perguntava por que nós ainda estávamos em dificuldades. Eu podia sentir o desânimo se instalando em mim como uma nuvem. Fui me deitar na cama de nossa filha e comecei a chorar profundamente por causa da nossa situação financeira, quando de repente algo se levantou dentro de mim, e tomei uma decisão. Eu disse: "Deus, vamos dar e fazer o que a Tua Palavra diz até o Senhor voltar para nos buscar. Ainda que nunca vejamos um único resultado, vamos continuar. Vamos fazer isso para Te honrar, só porque Tu disseste na Tua Palavra para fazê-lo. Os resultados não são um problema nosso; eles são problema Teu!"

Quando Dave e eu tomamos essa decisão, nosso compromisso fechou a porta que estava aberta para o diabo, que permitia que ele nos atormentasse. Começamos a prosperar depois daquele dia e continuamos assim até hoje.

Estávamos adorando a Deus com aquilo que ofertávamos. A adoração em qualquer forma é apenas outro método a ser seguido para ter as bênçãos de Deus ativadas em sua vida. Deus conhece nosso coração, e nossos motivos precisam ser puros. Não podemos fazer o que é certo apenas para ter os resultados certos. Precisamos aprender a fazer a coisa certa porque é certo. O homem justo age bem porque ele não pode fazer nada além disso. Ele deixa os resultados com Deus, e eles sempre são bons. Haverá um tempo de teste, mas aqueles que continuam sempre colherão.

Estou incentivando-o a adorar em vez de se preocupar. Tome a decisão de continuar por mais que demore, e você verá mudanças positivas em sua vida e em si mesmo.

## ISSO VEM DO SENHOR

Você e eu podemos sentir pena de nós mesmos, correr para todos que conhecemos em busca de aconselhamento, repreender o diabo,

*Capítulo 12*

pedir oração e fazer tudo o mais que podemos imaginar, mas se não adorarmos a Deus, estaremos deixando de fora a parte mais importante.

A Bíblia diz que precisamos continuar a contemplar, na Palavra de Deus, como em um espelho, a glória do Senhor. Se fizermos isso continuamente, seremos constantemente transfigurados ou transformados à Sua própria imagem em esplendor sempre crescente e de um nível de glória a outro nível de glória.

De onde vem tudo isso? A resposta encontra-se no final de 2 Coríntios 3:18: "... a qual vem do Senhor, que é o Espírito."

Essa transformação não é algo que nós fazemos, ela "... vem do Senhor, e é algo maravilhoso para nós" (Mateus 21:42).

•  •  •

## CAPÍTULO 13

# Deus É Por Nós!

*Que diremos, pois, diante dessas coisas? Se Deus é por nós, quem será contra nós?*

*Romanos 8:31*

**Deus é um grande** Deus; nada é impossível para Ele, e Ele está do nosso lado. Não temos nada a temer dos nossos inimigos porque nenhum deles é tão grande quanto o nosso Deus.

Deus é por nós; Ele está do nosso lado. O diabo tem uma posição — ele é contra nós. Mas Deus está sobre nós, abaixo de nós, através de nós, por nós, e Ele nos cerca.

A Bíblia diz: "Os que confiam no Senhor são como o monte Sião, que não se pode abalar, mas permanece para sempre. Como os montes cercam Jerusalém, assim o Senhor protege o seu povo, desde agora e para sempre" (Salmos 125:1-2).

Assim como o monte Sião, não devemos nos abalar porque Deus está nos cercando. E se isso não bastasse, guardei o melhor para o final: Ele está em nós, e disse que nunca nos deixará nem nos abandonará.

*Capítulo 13*

Assim, se somente o diabo está contra nós, mas Deus está conosco, sobre nós, abaixo de nós, em nossa volta e em nós, eu diria que estamos em ótimas condições. A quem então, devemos temer?

## TEMA O SENHOR E NÃO O HOMEM

> Os que reverentemente e em adoração temem o Senhor digam: "A Sua misericórdia e bondade duram para sempre!" Na minha angústia clamei ao Senhor; e o Senhor me respondeu, dando-me ampla liberdade. O Senhor está comigo, não temerei. O que me podem fazer os homens?
>
> *Salmos 118:4-6, Amplified Bible, tradução livre*

No primeiro versículo dessa passagem, quando o salmista diz, em outras palavras: "Eu reverenciarei e adorarei a Deus, dizendo que a sua misericórdia e bondade duram para sempre", o que ele está fazendo? Está adorando a Deus por alguns dos Seus atributos, como mencionamos. Ele está louvando a Deus pela Sua misericórdia e por Sua bondade.

Quando meditamos e falamos sobre os grandes atributos de Deus, isso edifica a nossa fé.

No próximo versículo ele diz como, na sua angústia, ele clamou ao Senhor. Mas observe que ele não fez isso até depois de ter adorado o Senhor e de tê-lo louvado pelos mesmos atributos que ele estava clamando que fossem demonstrados por Ele na situação angustiante que vivia.

Por fim, no terceiro versículo dessa passagem o salmista declara: "O Senhor está comigo; não temerei." Por que deveríamos temer? Se o Deus Todo-Poderoso é por mim, e Ele realmente é, então o que o simples homem pode me fazer? Precisamos definitivamente entender o quanto Deus é grande e o quanto nossos inimigos são pequenos se comparados a Ele.

*Deus É Por Nós!*

Você pode estar preocupado com o que o homem vai lhe fazer. Você pode estar preocupado por que o homem pode tirar o seu emprego, ou não lhe dar o que você precisa. O homem pode tratá-lo injustamente ou pode rejeitá-lo. Você pode estar preocupado com o que o homem vai pensar ou dizer a seu respeito.

Nesse caso, você precisa entender que é um insulto a Deus quando estamos mais preocupados com as pessoas do que com Ele. A Bíblia nos diz que não devemos temer o homem, mas devemos temer o Senhor com reverência e em adoração. Quando nos recusamos a temer o homem, mas em vez disso tememos o Senhor com reverência e em adoração, Deus se move em nosso favor para que nada que o homem tente nos fazer nos afete de maneira permanente. Eles podem se levantar contra nós por um caminho, mas precisarão fugir de nós por sete caminhos (Deuteronômio 28:7).

Por um período pode parecer que alguém está se aproveitando de nós. Mas se mantivermos nossos olhos em Deus e continuarmos a adorá-lo, mantendo também as nossas conversações alinhada com Sua Palavra, no final Deus nos recompensará e fará justiça porque Ele é um Deus de justiça. Ele ama a justiça e odeia o erro.

Prolongamos nossos problemas quando tentamos fazer com que as pessoas nos deem o que achamos que nos é devido. Não devemos agir assim. Em vez disso, devemos esperar no Senhor. Se mantivermos nossos olhos em Deus, ninguém se aproveitará de nós — pelo menos não por muito tempo. Deus tem milhares de maneiras de fazer Suas bênçãos chegarem até nós. Quando uma porta se fecha, Ele abre outra. Se não existem portas, Ele cria uma. É por isso que nossa posição deve ser: "Se Deus é por mim, quem será contra mim?"

## O QUE ME PODE FAZER O HOMEM?

A Palavra de Deus está cheia de promessas de que Deus cuidará de nós. Uma dessas promessas é declarada de uma forma tão linda que não vejo como podemos ouvi-la e continuar com medo.

*Capítulo 13*

> ... porque Deus mesmo disse: "Nunca o deixarei, nunca o abandonarei." Podemos, pois, dizer com confiança: "O Senhor é o meu ajudador, não temerei. O que me podem fazer os homens?"
>
> *Hebreus 13:5-6*

Essas Escrituras são muito consoladoras para mim. São enfáticas ao afirmarem por três vezes que Deus não nos deixará impotentes. Quando o Senhor diz algo uma vez, devemos crer que Ele está falando sério. Mas quando Ele a diz três vezes, está colocando uma forte ênfase na Sua promessa de nunca nos deixar sem apoio. Eu o encorajo a meditar nesses versículos a qualquer momento em que o medo se levantar contra sua mente com relação ao seu futuro ou ao que o homem possa lhe fazer. A Palavra de Deus tem um poder inerente, e simplesmente meditar nela faz com que você se sinta melhor. A fé vem por ouvir a Palavra de Deus. Quando Satanás apresentar o medo, corra para a Palavra de Deus. O temor do homem pode fazer com que percamos o nosso destino.

No Antigo Testamento, Saul temeu o povo mais do que temia a Deus, e isso fez com que ele perdesse o reinado (1 Samuel 13:8-14). Saul não cumpriu o seu destino por causa do medo.

Saul estava destinado a governar e reinar com Deus, assim como nós. O Novo Testamento nos ensina que somos todos reis e sacerdotes para o nosso Deus. Ele tem um lugar de bênção em mente para cada um de nós e quer que governemos, e não que sejamos governados pelo medo e pela intimidação. Mas, como Saul, podemos perder o reinado, nossa posição de direito de governo e reino, se temermos o homem em lugar de Deus.

## O TEMOR REVERENTE A DEUS

Eu, porém, entrarei na Tua casa pela abundância do Teu grande amor e misericórdia; adorarei no Teu santo templo em temor reverente e assombro diante de Ti.

*Salmos 5:7, Amplified Bible, tradução livre*

Quando falamos sobre temer a Deus, não estamos falando sobre um tipo errado de medo. Falamos sobre aquele temor reverente que faz com que nos curvemos na Sua Presença e nos prostremos diante dele, dizendo: "Meu Deus, não há ninguém como Tu; a quem temerei? Se Tu és por mim, o que me pode fazer o homem?"

Até o apóstolo Paulo disse em Gálatas 1:10: "Acaso busco eu agora a aprovação dos homens ou a de Deus? Ou estou tentando agradar a homens? Se eu ainda estivesse procurando agradar a homens, não seria servo de Cristo."

Esse é um versículo que sempre tocou o meu coração, pois sei como a rejeição do homem tentou impedir que eu avançasse para o chamado de Deus sobre a minha vida.

Você já foi atacado pela rejeição? É claro que sim; todos nós fomos. É a maneira de o diabo tentar nos impedir de avançar. Ele sabe que seremos abençoados se estivermos dentro da vontade de Deus, de modo que ele usa o medo da rejeição do homem para nos deter.

Quando fui cheia do Espírito Santo em 1976, perdi a maior parte dos meus amigos, Deus me pediu para deixar minha igreja, e fui rejeitada pelos membros da minha família. Eles achavam que estávamos sendo enganados. As coisas pioraram ainda mais quando Deus me chamou para ensinar e pregar a Sua Palavra. Para onde quer que eu me voltasse, era rejeitada por alguém a quem eu amava e com quem me importava. Foi muito difícil prosseguir. Muitas vezes eu quis ceder à pressão e tomar decisões que agradariam às

*Capítulo 13*

pessoas. Olho para trás agora e tremo ao pensar no que eu poderia ter sacrificado se tivesse me curvado à pressão.

Houve outros momentos muito importantes em minha vida e ministério em que o diabo lançou ataques de rejeição contra mim, e cada um deles veio em um momento em que Deus estava tentando me promover ao próximo nível do que Ele tinha para a minha vida.

Qualquer pessoa que esteja tentando fazer a vontade de Deus precisa ter mais temor de Deus do que do homem. Eu queria ter aceitação, mas não queria estar fora da vontade de Deus, e eu sabia que estaria se fizesse o que meus amigos queriam. Agradeço a Deus por Sua graça que me sustentou e fortaleceu durante aqueles tempos difíceis de teste.

Qualquer pessoa que queira fazer a vontade de Deus precisa se lembrar do que Jesus disse aos Seus discípulos: "Nenhum escravo é maior do que o seu senhor. Se me perseguiram, também perseguirão vocês" (João 13:16; 15:20). Mas Ele também lhes disse: "... aquele que os rejeita, está me rejeitando" (Lucas 10:16). Em outras palavras, o Senhor considera uma afronta pessoal a Ele quando as pessoas o rejeitam por estar tentando fazer a coisa certa, e Ele é o seu Vingador; a sua recompensa vem dele.

O Senhor quer que você e eu sejamos libertos do cativeiro do temor do homem e do temor da rejeição. Ele sabe que nunca seremos tudo que Ele quer que sejamos se tivermos esse temor em nós. Precisamos nos importar mais com o que Ele pensa do que com o que as pessoas pensam — pois Ele é o nosso Provedor; e não o homem.

## Capítulo 14

# Deus Proverá

Aleluia! Darei graças ao Senhor de todo o coração na reunião da congregação dos justos. Grandes são as obras do Senhor; nelas meditam todos os que as apreciam. Os seus feitos manifestam majestade e esplendor, e a sua justiça dura para sempre. Ele fez proclamar as suas maravilhas; o Senhor é misericordioso e compassivo. Deu alimento aos que o temiam, pois sempre se lembra de sua aliança.

*Salmos 111:1-5*

**Por acaso você** está preocupado a esta altura da vida com sua provisão? Você está precisando de provisão em alguma área, e não está realmente certo de onde ela virá?

As pesquisas que fiz em conferências mostram que pelo menos 50% das pessoas estão realmente com medo de onde sua provisão virá.

Observe novamente o último versículo da passagem anterior na qual o salmista está louvando e adorando a Deus por Suas grandes obras em favor do Seu povo: "Deu alimento aos que o temiam, pois sempre se lembra de sua aliança" (versículo 5).

*Capítulo 14*

Isto nos diz que enquanto adorarmos a Deus, teremos a Sua provisão. Vemos o mesmo tema se repetir de forma recorrente na Palavra de Deus — a adoração vence a batalha!

Marque esse versículo na sua Bíblia; medite nele, memorize-o, pois nele está a chave para o suprimento de suas necessidades. Assim, quando uma necessidade surgir em sua vida, você terá escondida a Palavra de Deus em seu coração, e ela o fortalecerá e o ajudará a permanecer com fé e não com medo.

Talvez lhe tenha sido dito que você vai perder seu emprego ou sua casa. Talvez você seja um idoso que vive da sua aposentadoria e se pergunte o que vai acontecer com você no futuro. Você vê os preços de todas as coisas subindo o tempo todo, e o diabo sussurra em seu ouvido: "Você não vai ter o suficiente para se sustentar." Ou talvez os números simplesmente não batam; sua renda simplesmente não é suficiente para sustentá-lo, e, no entanto, você está fazendo tudo o que pode.

Seja qual for o motivo da sua preocupação com relação à sua provisão, pegue este versículo e digira-o. Jeremias disse: "Quando tuas palavras foram encontradas, eu as comi; elas são a minha alegria e o meu júbilo..." (Jeremias 15:16). Precisamos, por assim dizer, "mastigar" a Palavra de Deus. Em seus escritos o salmista usa a palavra *selah*, que significa "faça uma pausa e pense calmamente nisto", para encorajar o leitor a digerir lentamente o que foi dito. Costumamos ler visando quantidade e deveríamos ler visando qualidade. Leia de forma a permitir que a Palavra desça até o mais profundo do seu interior e o alimente.

Essa Palavra diz que Deus dá alimento e provisão àqueles que o temem com reverência e o adoram. Isso significa que seja qual for a sua situação, Deus proverá suas necessidades desde que você esteja adorando-o e engrandecendo-o.

Adorar na verdade é divertido e revigorante; a preocupação deixa o nosso coração pesado, gerando perda da alegria. Adore; não se preocupe! A batalha pertence ao Senhor!

*Deus Proverá*

## ADORAÇÃO É SABEDORIA

O temor do Senhor é o princípio da sabedoria...

*Salmos 111:10*

Se você ler o livro de Provérbios e olhar para todas as promessas radicais feitas à pessoa que anda com sabedoria, e então entender que a reverência e a adoração constituem o princípio da sabedoria, você verá rapidamente por que a reverência e a adoração são tão importantes. A Bíblia diz que aqueles que andam em sabedoria serão ricos. Eles terão vida longa e serão extremamente felizes. Serão abençoados, tão abençoados que serão invejados (Provérbios 3:1-18).

Mas não existe sabedoria sem adoração. Muitas pessoas hoje estão buscando conhecimento, e conhecimento é bom, mas sabedoria é melhor. Sabedoria é o uso correto do conhecimento. Conhecimento sem sabedoria pode fazer com que a pessoa fique cheia de si ou cheia de orgulho, o que por fim arruinará sua vida. Uma pessoa sábia sempre será inteligente, mas nem todas as pessoas inteligentes são sábias.

Creio que atualmente em nossa sociedade exaltamos o conhecimento mais do que deveríamos. A educação parece ser o objetivo principal da maioria das pessoas, e ainda assim nosso mundo de hoje está decaindo rapidamente no âmbito da moral. A instrução é boa, mas não é melhor do que a sabedoria. A Palavra de Deus nos diz para clamarmos por sabedoria; para a buscarmos como se buscássemos prata e ouro; para fazermos dela uma necessidade vital em nossa trajetória. Não há nada mais importante que a sabedoria, e o princípio dela é a reverência e a adoração.

O adorador aprenderá a sabedoria com Deus.

### NA ADORAÇÃO NÃO HÁ FALTA

O anjo do Senhor é sentinela ao redor daqueles que o temem, e os livra. Provem, e vejam como o Senhor é bom. Como é feliz o homem que nele se refugia!

157

*Capítulo 14*

Temam o Senhor, vocês que são os seus santos, pois nada falta aos que o temem.

*Salmos 34:7-9*

Você quer que os anjos trabalhem em sua vida? Então comece a adorar a Deus porque a Bíblia diz que o anjo do Senhor se acampa ao redor daqueles que reverenciam e adoram a Ele para livrá-los e cuidar deles. É realmente impressionante quantas promessas são feitas àqueles que adoram.

Você quer ter certeza de que todas as suas necessidades serão atendidas? Então comece a adorar a Deus, pois a Bíblia diz que não há falta para aqueles que realmente reverenciam e adoram o Senhor com temor reverente.

Talvez você pergunte: "Bem, se é assim, por que Deus não está se movendo em minha vida?"

Creio que Deus está se movendo em sua vida. Creio que Ele está fazendo grandes coisas em sua vida. Ele está fazendo grandes coisas na vida de todos nós, se nos dermos ao trabalho de prestar atenção. Muitas vezes passamos nosso tempo contando o que não temos em vez do que temos. Pensamos no que perdemos em vez de pensarmos no que nos resta. Isto nos impede de perceber o quanto somos realmente abençoados.

Ter um coração grato é parte da adoração, e esta certamente é a atitude de um "adorador". Deus faz muito com pouco, e Ele faz o máximo com nada. Ele criou o mundo que vemos do nada. Ele usa *nadas* e *ninguéns* para fazer Sua obra através deles, de acordo com I Coríntios capítulo I. Portanto, ainda que não tivéssemos nada, poderíamos dar o nosso nada a Deus, e Ele faria alguma coisa com ele. Deus não tem dificuldade em nos suprir com tudo o que necessitamos nesta vida. Se tão somente o adorarmos, lançarmos nossos cuidados sobre Ele e obedecermos às Suas instruções, sempre teremos nossas necessidades supridas em abundância.

Perdi muito na vida. Sofri abuso na minha infância, de modo que nunca tive realmente a oportunidade de ser criança. Durante muito tempo eu realmente me ressenti pelo que havia perdido. Eu me ressentia pelos anos perdidos que nunca poderia ter de volta; eu me ressentia por não ter tido um bom começo na vida, por saber que muitos dos meus problemas como adulta eram resultado da forma errada como minha vida começou.

Por fim, eu vi que não podia fazer nada com relação ao que eu havia perdido, e comecei a olhar para o que me restava. Em primeiro lugar, eu tinha o restante da minha vida, e você também tem. Mesmo que os anos vividos até aqui não tenham sido agradáveis, você ainda tem o seu futuro.

Comecei a adorar a Deus bem ali onde eu estava, e confiei que Ele seria fiel à Sua Palavra. Dei a Ele o que me restava. Eu disse: "Senhor, aqui estou eu. Não sou grande coisa, mas se Tu puderes me usar, sou Tua."

Eu o encorajo a começar adorando a Deus bem onde você está; adore-o pelo que você tem, e esqueça-se do que você não tem. Não há falta na adoração. À medida que adoramos a Deus, Ele supre todas as nossas necessidades.

## O LOUVOR SALVA

Eu te amo, ó Senhor, minha força. O Senhor é a minha rocha, a minha fortaleza e o meu libertador; o meu Deus é o meu rochedo, em quem me refugio.

Ele é o meu escudo e o poder que me salva, a minha torre alta. Clamo ao Senhor, que é digno de louvor, e estou salvo dos meus inimigos.

*Salmos 18:1-3*

## Capítulo 14

O que o salmista disse que faria para ser salvo dos seus inimigos? "Clamo ao Senhor, que é digno de louvor."

Se você e eu atravessarmos as portas do louvor e entrarmos na Presença de Deus e começarmos a adorá-lo ali, nossos inimigos ficarão tão confusos que começarão a atacar uns aos outros.

Vimos isso acontecer com Josafá e com os inimigos de Gideão.

Quando o diabo tenta nos irritar e reagimos cantando louvores a Deus, isso o confunde juntamente com os seus demônios, de tal maneira que eles começam a atacar uns aos outros. Nesse processo encontramos um novo nível de alegria.

Como vimos, existe muito temor entre o povo de Deus. Mas o Senhor nos diz: "Não temas, pois eu sou contigo" (Isaías 41:10).

Sob a Velha Aliança, Deus era justo com Seu povo — e veja as tremendas vitórias que lhes foram dadas. Mas podemos ir muito além, pois o mesmo Deus que conduziu os israelitas, vitória após vitória sobre os seus inimigos, não apenas está conosco, como também está dentro daqueles de nós que somos cristãos.

Gosto de pensar que Ele está tão perto de mim quanto a minha respiração, e preciso dele tanto quanto preciso de cada respiração para viver. Deus é a nossa vida. Como Paulo disse: "Pois nele vivemos, nos movemos e existimos..." (Atos 17:28). Deus é tudo, e Ele é digno do nosso louvor e da nossa adoração.

## CAPÍTULO 15

# Deus Está do Meu Lado!

Filhinhos, vocês são de Deus e os venceram, porque aquele que está em vocês é maior do que aquele que está no mundo.

*1 João 4:4*

**As pessoas têm** tantos medos que poderíamos passar o dia inteiro citando-os e provavelmente não esgotaríamos tudo aquilo que temem.

Muitos crentes têm os mesmos medos de todos os demais. É por isso que versículos como I João 4:4 nos foram dados — para nos garantir que por causa da Presença e do Poder do Deus Todo-Poderoso dentro de nós, não temos nada a temer.

Quando você começar a ter medo, deve abrir a sua Bíblia, ler o versículo acima em voz alta e dizer: "Satanás, não preciso ter medo de você, pois a Palavra de Deus diz que eu já o derrotei. Satanás, Deus é o seu maior pesadelo, e Ele está do meu lado!"

Você sabe o que a Bíblia quer dizer ao mencionar o fato de você e eu sermos mais que vencedores por meio de Jesus Cristo? Realmente creio que ela quer dizer que não precisamos viver com

*Capítulo 15*

medo. Antes mesmo de a batalha começar, já nos foi dito que a venceremos. Sabemos o resultado — sabemos que vamos sair vitoriosos! Talvez não gostemos da necessidade de passarmos pela batalha; resistir ao medo pode nem sempre ser fácil. Mas podemos ser encorajados, sabendo que aquilo que o diabo projeta para o nosso mal, Deus planeja para o nosso bem.

Se Deus está do nosso lado, e se nós estamos do lado dele, no final tudo irá cooperar para o nosso bem, pois quem quer que esteja com o Senhor vencerá. Esse é um fato bíblico definitivo. O lado de Deus é o lado vencedor!

### "MAS DEUS..."

> *Mas Deus* prova o seu próprio amor para conosco pelo fato de ter Cristo morrido por nós, sendo nós ainda pecadores.
>
> *Romanos 5:8, RA*

Há uma pequena frase na Bíblia que me entusiasma todas as vezes que me deparo com ela. São apenas duas pequenas palavras, mas elas estão presentes ao longo de toda a Bíblia e provavelmente é uma das frases mais poderosas com duas palavras em todo o texto bíblico.

É simplesmente isto: "Mas Deus..."

À medida que percorremos a Bíblia, lemos constantemente relatos desastrosos das coisas terríveis que o diabo havia planejado para o povo de Deus. Então chegamos a essa pequena expressão: "Mas Deus..." e, em seguida, o que lemos é uma declaração de vitória.

No versículo anterior, é mencionado o fato de todos sermos pecadores, um estado que merece punição e morte. A expressão "Mas Deus..." interrompe esse processo. O amor de Deus é trazido para dentro da situação e muda tudo. Embora sejamos pecadores,

Cristo morreu por nós, e ao fazer isso, provou Seu amor por nós. Ele provou que o Seu amor interrompe a devastação do pecado.

Eis outro exemplo maravilhoso de como Deus interrompe o plano maligno que Satanás tem para nós.

> Os patriarcas, tendo inveja de José, venderam-no como escravo para o Egito.
>
> *Mas Deus* estava com ele e o libertou de todas as suas tribulações, dando a José favor e sabedoria diante do faraó, rei do Egito; este o tornou governador do Egito e de todo o seu palácio.
>
> *Atos 7:9-10*

Satanás havia planejado destruir José, enchendo o coração dos seus irmãos com ódio e inveja. Eles o venderam como escravo, pensando terem ficado livres de José de uma vez por todas. "Mas Deus" tinha outro plano. Ele interrompeu o plano de Satanás e trouxe uma tremenda bênção para a vida de José.

É assim que as coisas foram projetadas para acontecer em nossa vida diária. Por exemplo, uma das histórias possíveis poderia ser mais ou menos assim: você teve um emprego por dez anos e achava que ele fosse o seu futuro, mas depois a companhia fechou as portas, e parecia que o seu futuro havia sido destruído. "Mas Deus..." pode colocá-lo em um emprego muito melhor do que aquele. Deus pode até lhe dar favor e ajudá-lo a conseguir um emprego para o qual você nem sequer está qualificado no âmbito natural e depois lhe dar graça para executar aquela tarefa adequadamente. Ele pode capacitá-lo a fazer algo que ninguém no mundo teria pensado que você fosse capaz de fazer, nem mesmo você.

Passei por uma situação muito semelhante em minha própria vida.

Em 1979 eu tinha um emprego no centro de St. Louis, Missouri, que é nossa cidade natal. Meu marido, Dave, também traba-

## Capítulo 15

lhava no centro, o que significa que podíamos ir trabalhar usando nosso único carro. O emprego pagava bem, além dos benefícios, e eu me sentia abençoada por tê-lo. Então, passei por um teste.

Meu chefe, que não era cristão, queria que eu o ajudasse a roubar dinheiro de uma determinada forma, participando de uma ação enganosa. Um cliente tinha um crédito na conta, pois pagara uma fatura duas vezes. Quer dizer que nós lhe devíamos dinheiro. Meu chefe não queria que ele soubesse desse crédito que tinha, pois não queria lhe devolver o dinheiro. Então ele me disse para debitá-lo da conta dele e enviar-lhe uma declaração naquele mês mostrando saldo zero em lugar do crédito que na verdade ele tinha.

Fui para casa naquela noite e fiquei angustiada com aquela situação. Minha consciência me dizia claramente que eu não podia fazer tal coisa, mas ao mesmo tempo eu tinha medo de perder o emprego. Tínhamos compromissos financeiros que exigiam que eu trabalhasse.

Tomei minha decisão. Diria ao meu chefe que não podia fazer aquilo que ele havia pedido. Na verdade, aquela decisão me colocava em posição de adorar a Deus. Posso não ter erguido as mãos ou me prostrado e nem mesmo ter feito uma oração de louvor ou adoração, mas meus atos estavam adorando a Ele. Eu estava colocando Deus e os Seus princípios em primeiro lugar, ainda que isso significasse que eu perderia meu emprego.

Quando falei com meu chefe, ele ficou visivelmente irado, mas me disse somente para voltar ao trabalho. Eu havia lhe dito simplesmente que era cristã, e embora percebesse que ele não compartilhava da minha fé, não podia ir contra a minha consciência e ajudá-lo a enganar o cliente. Eu lhe disse que não queria perder meu emprego, mas tinha de fazer o que acreditava que era certo.

Fiquei na expectativa o dia inteiro de que ele fosse à minha sala e me dissesse que eu estava despedida, mas no fim do dia, ele entrou e me disse para enviar um cheque para o cliente. Ele nunca mencionou aquela situação novamente, nem eu. "Mas Deus" providenciou que eu fosse promovida continuamente até finalmente ser a segunda pessoa encarregada de toda a empresa. Minha situação era muito semelhante à de José. Eu ficava no controle de tudo quando o chefe se ausentava, o que acontecia com muita frequência. Realmente eu não tinha a formação para aquele trabalho; não estava qualificada da forma como o mundo vê as qualificações, mas estava qualificada sobrenaturalmente, pois Deus abriu a porta e me deu graça para realizar o trabalho.

O que parecia uma situação terrível veio a ser uma grande bênção porque Deus interrompeu o plano de destruição de Satanás.

Precisamos aprender a olhar para as circunstâncias através dos olhos da fé e não no âmbito natural. O que normalmente acontece em uma situação pode ser completamente transformado quando Deus entra em cena.

Quando Deus me chamou para o ministério, as pessoas me disseram: "Joyce, alguns de nós estivemos conversando, e achamos que não há meios de você um dia ser capaz de fazer o que, segundo você, Deus lhe disse que você vai fazer. Não achamos sequer que sua personalidade seja apropriada para essa obra."

Ainda me lembro do quanto me senti péssima quando eles disseram isso para mim. Fiquei magoada e desanimada... "mas Deus" havia me chamado, e Ele me capacitou. Deus viu valor naquilo que os outros pensaram não ser sequer utilizável. Ele me ajudou, e Ele fará o mesmo por você.

## ELES PROSTRARAM-SE COM O ROSTO EM TERRA

Naquela noite toda a comunidade começou a chorar em alta voz. Todos os israelitas queixaram-se contra Moisés e contra Arão, e toda a comunidade lhes disse: "Quem dera tivéssemos morrido no Egito! Ou neste deserto! Por que

*Capítulo 15*

> o Senhor está nos trazendo para esta terra? Só para nos deixar cair à espada? Nossas mulheres e nossos filhos serão tomados como despojo de guerra. Não seria melhor voltar para o Egito?"
>
> E disseram uns aos outros: "Escolheremos um chefe e voltaremos para o Egito!" Então Moisés e Arão prostraram-se com o rosto em terra, diante de toda a assembleia dos israelitas.
>
> *Números 14:1-5*

Observe a reação de Moisés e Arão à murmuração e reclamação dos israelitas — eles se prostraram com o rosto em terra.

O mesmo ato de se prostrar com o rosto em terra é observado ao longo de toda a Bíblia. Se todos os israelitas tivessem se prostrado com o rosto em terra, teriam visto um milagre após outro. Mas não, estavam ocupados demais sentindo pena de si mesmos, procurando defeitos em Deus e em Moisés, falando negativamente, desejando voltar para o Egito.

Mas graças a Deus por Moisés e Arão. Eles se prostraram com o rosto em terra e começaram a adorar a Deus. O gesto deles demonstrou reverência a Deus. Eles tomaram essa atitude diante de toda a assembleia, tenho certeza, dando uma lição objetiva sobre o que outros deveriam estar fazendo.

Vemos outro exemplo em Gênesis 17 em relação a Abraão. Quando ele tinha noventa anos, o Senhor lhe apareceu e disse: "Eu sou o Deus Todo-Poderoso; ande segundo a minha vontade e seja íntegro" (Gênesis 17:1). Abrão respondeu prostrando-se sobre seu rosto. Amo esse exemplo, pois, assim como nós, Abrão sabia que não poderia andar perfeitamente diante de Deus a não ser que Deus fizesse isso por seu intermédio. O que era impossível para Abrão fazer sem Deus se tornaria possível com Deus, então ele adorou. Era só o que ele podia fazer, mas foi o suficiente, pois Deus fez o resto.

*Deus Está do Meu Lado!*

Quando nos deparamos com impossibilidades, nunca devemos desistir; devemos adorar e ver Deus trabalhar em nosso favor. Lembre-se de que tudo é possível àquele que crê.

## O SENHOR ESTÁ CONOSCO!

Josué, filho de Num, e Calebe, filho de Jefoné, dentre os que haviam observado a terra, rasgaram suas vestes e disseram a toda a comunidade dos israelitas: A terra que percorremos em missão de reconhecimento é excelente. Se o Senhor se agradar de nós, ele nos fará entrar nessa terra, onde há leite e mel com fartura, e a dará a nós.

Somente não sejam rebeldes contra o Senhor. E não tenham medo do povo da terra, porque nós os devoraremos como se fossem pão. A proteção deles se foi, mas o Senhor está conosco. Não tenham medo deles!

*Números 14:6-9*

Josué e Calebe eram dois homens de Deus envolvidos com um grupo de pessoas que eram negativas e cheias de incredulidade. Josué e Calebe não queriam permitir que essas pessoas os afetassem negativamente; continuaram cheios de fé e confiança de que poderiam vencer seus inimigos. Também precisamos estar decididos a não deixar essas pessoas roubarem nossa alegria e nossa atitude positiva. Não permita que destruam sua confiança e fé de que Deus é um Deus bom e tem um bom plano para sua vida. Satanás usa pessoas assim para nos sugar. Não devemos permitir que a infelicidade e o negativismo delas afetem ou infectem nossa alegria.

Há momentos na vida em que as circunstâncias não são muito animadoras. Olhamos e vemos problemas que nos parecem gigantes, mas precisamos nos lembrar de que Deus é maior do que os gigantes.

*Capítulo 15*

Josué e Calebe estavam exatamente em uma dessas situações. Moisés os havia enviado juntamente com outros dez homens para a Terra Prometida de Canaã para a espiarem trazendo um relatório que a descrevesse. Dez dos homens voltaram e disseram: "A terra está cheia de bons frutos, mas também está cheia de gigantes, e não podemos derrotá-los."

Mas Josué e Calebe tiveram uma atitude diferente. Eles também haviam visto os gigantes, mas preferiram manter os olhos em Deus, que acreditavam ser maior do que os gigantes. O relatório deles foi: "Vamos subir de uma vez e derrotá-los, pois todos nós somos capazes." Aquelas pessoas negativas disseram imediatamente: "Não somos capazes."

É assim que as coisas costumam acontecer na vida. Sempre existem pessoas positivas; elas tentam seguir em frente. Então, existem pessoas negativas e elas tentam contaminar tudo que é bom e positivo com sua atitude negativa. Dez dos espias eram negativos e dois eram positivos. Com base nesses números, 80% do povo disse que eles não podiam derrotar os gigantes, e apenas 20% acreditava no fato de Deus ser maior do que o problema. Esses números provavelmente são muito precisos hoje em dia. Se uma porcentagem maior de pessoas acreditasse no grande poder de Deus, veríamos mais pessoas vencendo do que vemos na verdade.

É triste dizer que costumamos colocar os nossos olhos nos gigantes em vez de colocar os olhos em Deus. Perdemos nosso foco; ficamos enredados com o problema e perdemos de vista o que Deus nos chamou para fazer. Creio que mais tempo gasto adorando e louvando a Deus nos ajudaria a manter um foco claro e nos capacitaria a avançar com uma forte atitude positiva, acreditando que podemos fazer qualquer coisa que Deus nos diga para fazer.

Josué e Calebe lembraram aos outros que Deus havia prometido lhes dar a terra. Eles os encorajaram a não se rebelarem contra o Senhor e a não temerem o povo. Disseram: "O Senhor está conosco!"

Deus não está com o inimigo; Ele está conosco. E se Deus é por nós, quem pode estar contra nós? Eu o encorajo a se habituar a manter uma atitude positiva. Seja contente, agradecido. Observe o que Deus está fazendo, e não apenas o que você pensa que Ele não está fazendo por você. Cuidado com a reclamação. Em vez disso, adore a Deus e continue adorando-o até ver uma reviravolta acontecer em sua vida. Ter uma atitude positiva fará isso acontecer mais depressa do que ficar emburrado. Por mais tempo de espera que tenhamos, podemos muito bem ser felizes enquanto esperamos. Chamo isso de "desfrutar o lugar onde você está enquanto avança para onde você está indo".

Paulo aprendeu a estar contente quer estivesse em privação ou em abundância, e podemos fazer o mesmo.

> Não estou dizendo isso porque esteja necessitado, pois aprendi a adaptar-me a toda e qualquer circunstância.
>
> *Filipenses 4:11*

Paulo aprendeu por experiência própria o que funcionava e o que não funcionava. Também aprendi e ainda estou aprendendo que estar descontente não é adoração. Tento manter em mente que isso não adianta nada. Tento estar feliz independentemente do que esteja acontecendo. Não quero desperdiçar meu tempo ficando descontente. Se todos esperarmos até não termos problemas para sermos felizes, talvez nunca tenhamos essa oportunidade, portanto, vamos ser felizes agora!

Assim como Paulo, independentemente de qual seja nossa circunstância atual, sabemos que Deus está conosco. Na verdade, Ele está muito à frente de nós. Ele já sabe o resultado, e o Seu plano é para o nosso bem, e não para o nosso fracasso.

*Capítulo 15*

# NÃO TEMA — DEUS VAI À SUA FRENTE

Sejam fortes e corajosos. Não tenham medo nem fiquem apavorados por causa delas, pois o Senhor, o seu Deus, vai com vocês; nunca os deixará, nunca os abandonará.

Então Moisés convocou Josué e lhe disse na presença de todo o Israel: Seja forte e corajoso, pois você irá com este povo para a terra que o Senhor jurou aos seus antepassados que lhes daria, e você a repartirá entre eles como herança.

O próprio Senhor irá à sua frente e estará com você; ele nunca o deixará, nunca o abandonará. Não tenha medo! Não desanime!

*Deuteronômio 31:6-8*

Nesta passagem, Moisés disse aos israelitas para serem fortes, corajosos e firmes. Você sabe o que significa ser firme? Significa se apegar ao que você sabe que é certo sem deixar nada nem ninguém convencê-lo do contrário.

Moisés também disse a Josué que ele devia ser forte, corajoso e firme, pois deveria conduzir o povo para a terra que o Senhor lhes havia dado. Ele garantiu que o Senhor nunca falharia com ele nem o abandonaria, mas que Ele iria adiante dele para conduzi-lo à vitória. Como vimos, essa mesma promessa foi feita a você e a mim.

É consolador pensar que todos os lugares para onde vamos Deus esteve ali antes de nós, preparando o caminho. Antes das nossas conferências realizadas mundialmente acontecerem alguém sempre vai à nossa frente e prepara o caminho. Eles se certificam de que todos os arranjos sejam feitos adequadamente antes de Dave e eu chegarmos. Por exemplo, recentemente planejamos uma conferência em outra parte do mundo. Quando nosso funcionário chegou, percebeu que o local que havíamos planejado usar ficava em uma parte da cidade cujo acesso de ida e volta seria muito difícil. O trânsito estaria pesado antes e depois das reuniões; havia apenas um caminho de ida e um caminho de volta; portanto, poderíamos levar até quatro horas para chegar aonde precisávamos ir.

Nós o havíamos enviado com meses de antecedência, e isso provou ser muito frutífero. Ele conseguiu mudar o local da reunião, fazendo com que economizássemos muito tempo. Sempre enviamos uma equipe de pessoas para uma cidade pelo menos dois dias antes de chegarmos. Elas se certificam de conhecer todos os caminhos para chegar a toda parte, verificam os hotéis e todos os arranjos necessários são feitos para que, ao chegarmos, possamos focar em ministrar às pessoas em vez de ficarmos enredados com detalhes com os quais não precisamos nos envolver. Esse procedimento realmente torna o nosso ministério muito mais frutífero.

O fato de ter essas informações me conforta e me dá confiança. Do mesmo modo, saber que Deus já esteve antes de mim em todas as situações da minha vida me dá grande confiança. Sou livre para viver sem medo.

Por exemplo, se você precisar comparecer a uma audiência judicial, deve entender que Deus já entrou na sua frente no tribunal antes mesmo de você chegar. Ou, se você precisar confrontar seu chefe sobre algum problema no trabalho, creia no que a Palavra diz. Creia que Deus irá adiante de você e preparará o caminho, que Ele lhe dará favor e lhe dará as palavras certas a dizer quando chegar a hora.

Também o encorajo a tomar cuidado com seus pensamentos quando enfrentar situações desse tipo. Muitas vezes oramos e pedimos a Deus para nos ajudar, pedimos milagres, mas em nossos pensamentos e na nossa imaginação, enxergamos apenas desastre e fracasso. Lance fora toda a imaginação equivocada e tudo que não esteja de acordo com a Palavra de Deus.

## Capítulo 15

O salmista Davi disse: "Que as palavras da minha boca e a meditação do meu coração sejam agradáveis a ti, Senhor..." (Salmos 19:14). Deus tem prazer em nossos pensamentos e palavras quando eles estão de acordo com a Sua Palavra.

Quando precisamos do poder de Deus para nos ajudar em uma situação, não podemos pedir algo positivo e depois falar sobre a situação de forma negativa. Precisamos pedir o que precisamos, e depois manter nossos pensamentos alinhados com os pedidos feitos por nós de acordo com a Palavra de Deus.

Creia, e você verá a glória de Deus!

## Capítulo 16

# Permaneça na Posição

> Vocês não precisarão lutar nessa batalha. Tomem suas posições, permaneçam firmes e vejam o livramento que o Senhor lhes dará, ó Judá, ó Jerusalém. Não tenham medo nem desanimem. Saiam para enfrentá-los amanhã, e o Senhor estará com vocês.
>
> *2 Crônicas 20:17*

**Em Efésios 6**, um capítulo sobre guerra espiritual, lemos que depois de termos feito tudo que a crise requer, devemos permanecer firmes. Depois, em 2 Crônicas 20, lemos que não precisamos lutar nossas próprias batalhas pois elas pertencem ao Senhor, e não a nós. Tudo que devemos fazer é tomar nossa posição e permanecer nela até vermos a vitória.

Qual é a nossa posição? Creio que é adorando a Deus.

Como os inimigos de Judá e Israel, o diabo tem um plano de nos atacar e destruir, e ele está trabalhando no seu plano. "Mas Deus..." tem uma surpresa para ele.

Um bom amigo meu, que é um erudito em grego, recentemente me mandou sua edição parafraseada de João 10:10. Gostaria de

*Capítulo 16*

compartilhá-la com você. Ela dá a ideia clara do quanto o diabo está determinado a matar, roubar e destruir, mas Jesus tem outro plano.

> O ladrão, aquele bandido espiritual que quer por as mãos em cada coisa boa em sua vida, esse batedor de carteiras está procurando uma oportunidade de abrir caminho tortuosamente enfiando-se tão profundamente nos seus assuntos pessoais a ponto de sair levando tudo que você considera precioso e caro. E isso não é tudo! Quando ele terminar de arrancar de você todos os seus bens e suas posses, ele levará o seu plano de roubá-lo para um próximo nível, criando condições e situações tão terríveis que você não verá uma maneira de resolver o problema. Ele tentará colocá-lo sob uma pressão insuportável para fazer com que você se sinta obrigado a jogar a toalha e desistir de tudo que ele ainda não roubou de você. O objetivo deste ladrão é devastar totalmente sua vida. Se nada o parar, ele o deixará quebrado, totalmente falido e destituído em todas as áreas da sua vida. Você acabará se sentindo como se estivesse acabado e destruído! Não se engane: o objetivo final dele é destruí-lo!
>
> Mas Eu vim para que vocês possam ter, manter e constantemente reter a vitalidade, o gosto, o vigor e o sabor pela vida que brote do fundo do interior, uma vida que não seja agitada nem facilmente abalada por qualquer acontecimento externo — Eu vim para que possam aproveitar esta vida incomparável, inigualável, sem-par, singular, ricamente abundante e transbordante ao máximo!"[1]

## ELIAS PREVIU CHUVA NA SECA

> E Elias disse a Acabe: "Vá comer e beber, pois já ouço o barulho de chuva pesada."
>
> *1 Reis 18:41*

*Permaneça na Posição*

Como mencionei anteriormente neste livro, havia ocorrido uma seca na terra por três longos anos, e Deus já havia dito a Elias para informar ao Rei Acabe que iria chover. Mas até então não havia sinal de chuva. Em obediência, Elias disse a Acabe para se preparar, pois ele ouvia o som de abundante chuva.

Embora eu tenha compartilhado algumas coisas de Elias neste livro, há mais alguns pontos que quero abordar neste capítulo sobre como Elias permaneceu na posição certa. Em primeiro lugar, quero que você observe o fato de a seca haver durado três longos anos. Temos certas provações em nossas vidas que duram muito mais do que outras. Gostaríamos que todas elas fossem de curta duração, mas este nem sempre é o caso. Durante momentos assim, de provações prolongadas, geralmente ficamos cansados. Sentimos que precisamos ver algum sinal de Deus, mesmo um pequeno sinal de que Ele está trabalhando na situação que nos aflige, e logo veremos uma reviravolta acontecer.

O que devemos fazer durante tempos assim? Bem, primeiramente devemos dizer o que queremos, e não o que temos. Como Elias, devemos dizer: "Está começando a chover." Em outras palavras, seja qual for a bênção que precisemos que Deus faça chover em nossas vidas, falamos como se ela já estivesse acontecendo. Não estamos mentindo quando agimos dessa forma, pois na esfera espiritual, ela já está acontecendo; estamos simplesmente esperando que se manifeste e saia à luz de forma que a possamos ver.

Durante tempos de necessidade, devemos dizer: "Sou abençoado. Todas as minhas necessidades são atendidas. Tenho graça onde quer que eu vá. Sou abençoado quando entro e abençoado quando saio. As bênçãos de Deus estão me perseguindo e me alcançando. Sou abençoado, abençoado, abençoado."

Quando falamos assim, muitas vezes me pergunto como o diabo se sente. Ele provavelmente pensa que estamos confusos e não estamos vendo o que ele está fazendo. Estou certa de que ele fica irritado por não estar nos irritando.

*Capítulo 16*

Quando mantemos com firmeza nossa confissão de acordo com a Palavra de Deus, há momentos em que a fornalha é aquecida sete vezes mais, assim como ocorreu quando Sadraque, Mesaque e Abede-Nego se recusaram a se prostrar diante do rei. Eles fizeram o que a crise exigia, e depois permaneceram firmes. Depois que a provação terminou, saíram da fornalha, e os seus corpos não estavam queimados — eles nem sequer tinham cheiro de fumaça. Em outras palavras, não havia qualquer vestígio de evidência de que eles haviam passado por alguma situação contrária. O livramento de Deus foi completo! (Daniel 3).

Elias ouviu algo no espírito. Você pode não ver nada ainda, mas pode ouvir alguma coisa no espírito? Pela fé você pode crer que a sua bênção está a caminho? O diabo pode ter retido a sua bênção, mas o Espírito Santo está nesse exato momento pressionando contra a barragem que ele fez, e ela está prestes a se romper. Como Elias, você deveria estar gritando: "É melhor correr, Satanás, porque está começando a chover, e as minhas bênçãos estão prestes a explodir."

## ELIAS MANTEVE A SUA POSIÇÃO

> Então Acabe foi comer e beber, mas Elias subiu até o alto do Carmelo, dobrou-se até o chão e pôs o rosto entre os joelhos. "Vá e olhe na direção do mar", disse ao seu servo. E ele foi e olhou. "Não há nada lá", disse ele. Sete vezes Elias mandou: "Volte para ver."
>
> *1 Reis 18:42-43*

Elias subiu ao topo do Monte Carmelo e tomou sua posição. Ele se prostrou em adoração, colocou o rosto entre os joelhos e disse ao seu servo: "Vá olhar na direção do mar, e volte e me diga o que vê."

*Permaneça na Posição*

O servo foi e olhou, voltou e disse a Elias: "Não há nada lá." Então Elias disse: "Vá olhar novamente." Isto aconteceu sete vezes, mas Elias não saiu da sua posição.

Deus quer que você e eu façamos o seguinte: tomemos nossa posição e, independentemente de como as coisas estiverem por algum tempo, mantenhamos essa posição.

O problema conosco é que adotamos uma posição, mas quando nossa situação não parece mudar com a rapidez necessária, mudamos de posição. Começamos a ligar para todos que conhecemos, perguntando-lhes o que fizeram quando estiveram na mesma situação. Começamos a racionalizar o que podemos fazer para sair dessa situação. Precisamos nos lembrar de que aqueles que confiam no braço de carne serão derrotados, mas aqueles que colocam a sua confiança em Deus nunca se decepcionarão nem serão envergonhados.

O que precisamos fazer é tomar nossa posição e ficar firmes. Deus disse que vai chover, e vai chover. Em vez de mudar de posição, devemos olhar novamente, e veremos a mão de Deus se mover.

Você não consegue enxergar isso? Elias está prostrado enquanto seu servo vai fazer o que lhe foi ordenado. Enquanto vai procurar chuva no horizonte, ele pensa: "Elias se enganou desta vez. Não há absolutamente nada acontecendo. Por quanto tempo vamos ficar aqui e continuar com essa bobagem?"

O servo volta e passa a informação a Elias, e ele lhe diz: "Vá outra vez." Elias estava decidido a não desistir. A Palavra de Deus nos diz para nos decidirmos e nos mantermos assim. Ela também nos adverte para não termos o ânimo dobre, afirmando que a pessoa que o tem nunca receberá nada que pede ao Senhor.

Talvez o servo tenha dito a Elias: "Não há chuva, Elias. Na verdade, não há nem mesmo uma nuvem no céu, e o sol está brilhando forte. Elias, estou cansado de correr para lá e para cá, e acho que não vai adiantar nada. Talvez fosse melhor você procurar ter outra palavra de Deus. Essa parece que não está funcionando."

*Capítulo 16*

Mas Elias não saiu da sua posição, ele continuou adorando a Deus. Ele nem sequer se deu ao trabalho de se levantar e dar uma olhada na circunstância sombria. Ele apenas disse: "Vá outra vez."

Todas as vezes que seu servo voltou com a informação de que não havia chuva, Elias não desistiu só por ter ouvido um relato negativo. Ele continuou pela fé, crendo que Deus era capaz de trazer a chuva, sabendo em seu coração que ELE o faria, pois Ele havia dito que o faria.

## ELIAS ULTRAPASSOU O SEU INIMIGO

Na sétima vez o servo disse: "Uma nuvem tão pequena quanto a mão de um homem está se levantando do mar." Então Elias disse: "Vá dizer a Acabe: Prepare o seu carro e desça, antes que a chuva o impeça."

Enquanto isso, nuvens escuras apareceram no céu, começou a ventar e a chover forte, e Acabe partiu de carro para Jezreel. O poder do Senhor veio sobre Elias, e ele, prendendo a capa com o cinto, correu à frente de Acabe por todo o caminho até Jezreel.

*1 Reis 18:44-46*

Por fim, na sétima vez, o servo de Elias voltou e lhe disse que viu no horizonte distante uma pequena nuvem mais ou menos do tamanho da mão de um homem.

Se você e eu pudéssemos simplesmente olhar bem para a nossa situação, estou certa de que sempre poderíamos encontrar uma nuvem de esperança pelo menos do tamanho da mão de um homem. Independentemente de como as coisas possam parecer neste instante, estou certa de haver pelo menos essa fração de esperança à qual podemos nos agarrar.

A nuvem que o servo de Elias viu devia parecer muito pequena comparada com toda a extensão do céu, mas, apesar disso, foi suficiente para deixar Elias animado. Talvez devêssemos ficar animados com o que vemos, por menor que isso seja, em vez de ficarmos deprimidos com o que ainda não vemos.

Assim que Elias recebeu aquela informação, foi ousado o bastante para mandar o seu servo anunciar a Acabe que seria melhor ele correr para casa, pois a chuva estava a caminho. Como previsto, em pouco tempo os céus ficaram negros de nuvens, e uma grande chuva começou a cair. Então a Bíblia diz que Elias cingiu seus lombos e começou a correr até Jezreel, a quase trinta quilômetros de distância, e correu tão depressa que ultrapassou Acabe e seu carro.

Você pode imaginar a expressão no rosto de Acabe quando de repente Elias o ultrapassa correndo, acenando e talvez dizendo: "Eu lhe disse; nos vemos em Jezreel!"

Elias havia ultrapassado o seu inimigo. Tinha suportado o tempo de provação, e depois de haver terminado, ainda estava firme em sua posição. Ele havia adorado a Deus todo o tempo em meio à provação, e precisamos fazer o mesmo.

Quando o Espírito de Deus veio sobre Elias, ele pôde correr mais e ultrapassar o inimigo, o rei Acabe. Do mesmo modo, quando o Espírito de Deus vem sobre você e eu, podemos ultrapassar nosso inimigo, Satanás. O Espírito de Deus realmente vem sobre nós quando adoramos; Ele nos unge para ultrapassarmos o inimigo.

## CAPÍTULO 17

# Porque o Senhor Era com Ele

> José havia sido levado para o Egito, onde o egípcio Potifar, oficial do faraó e capitão da guarda, comprou-o dos ismaelitas que o tinham levado para lá.
>
> *Gênesis 39:1*

**Você se lembra de** como José foi parar no Egito? Foi porque, por ciúmes, seus próprios irmãos o tinham vendido como escravo a uns mercadores ismaelitas que o haviam levado para lá.

Quando chegou ao Egito, José foi comprado por um oficial egípcio. Mas embora José fosse um escravo na casa de Potifar, Deus o abençoou e o prosperou — pois Ele estava com José onde quer que ele fosse.

Mesmo quando estamos passando por nossos tempos difíceis, Deus nos abençoará *durante esses períodos*, não apenas quando eles terminarem. O que é importante fazer é manter uma atitude positiva, o que inclui ser agradecido pelo que se tem e dar louvor a Deus, adorando-o por Quem Ele é.

*Capítulo 17*

## NA CASA DE POTIFAR

> O Senhor estava com José, de modo que este prosperou
> e passou a morar na casa do seu senhor egípcio. Quando
> este percebeu que o Senhor estava com ele e que o fazia
> prosperar em tudo o que realizava...
>
> *Gênesis 39:2-3*

É assim que as coisas devem ser para você. Ainda que o seu chefe o trate de maneira indevida, não perceba o seu verdadeiro valor e não deixe que você faça nada a não ser varrer o chão, se Deus está com você, Ele pode prosperá-lo e lhe dar sucesso de muitas outras maneiras diferentes. Deus certamente pode promovê-lo no tempo dele, pois toda verdadeira promoção vem do Senhor (Salmos 75:6-7). Não olhe para nada nesta terra como sendo sua fonte; olhe apenas para Deus como sua Fonte.

O mundo em breve reconhecerá que Deus está conosco. Algumas dessas pessoas que nos rejeitaram no passado verão que Deus está conosco; verão a Sua glória manifesta em nossas vidas. Se simplesmente tomarmos a nossa posição e formos fiéis a ela enquanto esperamos nele, no Seu tempo Deus nos levantará. Ficará óbvio e evidente para qualquer pessoa que olhar para nós que a mão de Deus está sobre nós para sempre.

Vi isso acontecer em minha vida, e conheço muitas outras pessoas que também viram em suas próprias vidas.

Essas pessoas que nos rejeitaram e riram de nós, aqueles que disseram coisas duras para nós e a nosso respeito, e não desejaram ter nada a ver conosco porque não permitimos que nos controlassem, podem acabar dizendo algo inteiramente diferente.

Na verdade, tive a experiência de ver aqueles que me rejeitaram anteriormente na vida, mais tarde tentarem com muito esforço se tornarem meus amigos quando viram o favor de Deus sobre mim.

*Porque o Senhor Era com Ele*

Não quero este tipo de amigos, pessoas que só estão conosco quando estamos subindo em direção ao topo.

Se mantivermos nossa posição, tendo feito tudo que a crise exige, permanecendo firmes no nosso lugar de fé, adoração e boa confissão, veremos que aonde quer que formos, seja o que fizermos, assim como Deus era com José, Ele será conosco.

## NA PRISÃO

Mandou buscar José e lançou-o na prisão em que eram postos os prisioneiros do rei. José ficou na prisão, mas o Senhor estava com ele e o tratou com bondade, concedendo-lhe a simpatia do carcereiro.

Por isso o carcereiro encarregou José de todos os que estavam na prisão, e ele se tornou responsável por tudo o que lá sucedia. O carcereiro não se preocupava com nada do que estava a cargo de José, porque o Senhor estava com José e lhe concedia bom êxito em tudo o que realizava.

*Gênesis 39:20-23*

Não há realmente nada com que se preocupar ou se angustiar se, independentemente de onde você vá ou o que você faça, você terminar no topo, como José.

Creio que esta é a maneira como deveríamos viver: onde quer que estejamos e seja o que for que façamos, deveríamos ver a bondade de Deus e a Sua glória manifesta em nossas vidas. Deveríamos ter os melhores negócios, os melhores cargos e o máximo de favor, não por merecermos em função da nossa bondade, mas porque Deus é bom e quer expressar Sua bondade e favor nas vidas de Seus filhos. Passaremos por provações, mas elas não duram para sempre e quando terminarem devemos sempre estar firmes em nossa fé.

## Capítulo 17

Creio que o motivo pelo qual isso não acontece com muita frequência em nossas vidas é por não termos tomado nossa posição. Temos feito o que os israelitas fizeram: temos desprezado nossa situação, murmurado, resmungado, reclamado, dito todo tipo de coisas negativas, culpando a Deus, culpando outras pessoas cuja situação é melhor do que a nossa.

Só a verdade nos libertará. Precisamos encarar a verdade sobre onde estamos a fim de chegarmos onde queremos estar. Enfrentar esse tipo de comportamento relacionado a nós mesmos, caso se aplique a nós, não é fácil, mas se não encararmos a situação, continuaremos a enganar a nós mesmos e permaneceremos cativos para sempre.

Cheguei a um ponto em minha vida no qual precisei admitir que eu simplesmente tinha uma atitude negativa. Meus problemas não eram culpa de todo mudo; eram minha culpa, pois eu não estava fazendo o que Deus estava me pedindo para fazer. O que Ele pede de nós não é difícil demais. Através do poder do Seu Espírito, Ele nos capacitará a termos uma atitude positiva em uma situação difícil, se estivermos dispostos a fazer as coisas do jeito dele, confiando no Seu tempo em nossas vidas.

Não devemos ter uma atitude negativa e depois nos perguntar por que não estamos sendo abençoados.

Há uma maneira melhor de viver.

●  ●  ●

## CAPÍTULO 18

# O Diabo Deseja o Mal,
# Mas Deus Deseja o Bem

Vocês planejaram o mal contra mim, mas Deus o tornou
em bem, para que hoje fosse preservada a vida de muitos.

*Gênesis 50:20*

**Depois que José** foi promovido ao posto de segundo no comando
de todo o Egito depois de Faraó, seus irmãos, que o haviam vendido
como escravo, foram ao Egito para comprar grãos durante a fome
que José havia previsto que viria. Mais tarde, José arranjou para que
seu pai, Jacó, seus irmãos e todas as suas famílias se mudassem para
o Egito para viverem durante o restante do período de fome em paz
e prosperidade.

Quando seu pai, Jacó, morreu, os irmãos de José tiveram
medo de que José tentasse se vingar deles pelo que haviam lhe feito
na sua juventude. Nesse versículo lemos acerca da promessa de José
aos seus irmãos e sobre como ele os perdoou pela maldade deles.
Na verdade, vemos sua boa atitude sendo demonstrada. Observe
o que ele lhes diz: "Vocês planejaram o mal, mas Deus planejou o
bem, para salvar muitas pessoas da inanição."

*Capítulo 18*

É tremendo quantas vezes Satanás irá preparar armadilhas para nós, planejando o nosso mal e a nossa destruição. Porém, quando Deus se envolve no assunto, Ele pega aquilo que Satanás planejou usar para nos destruir e transforma de modo que realmente coopere para o nosso bem.

Ninguém mais pode fazer as coisas cooperarem dessa forma, mas Deus pode. Ele pode operar milagres diante de qualquer situação negativa por meio do Seu poder, usá-la para nos tornar mais fortes e mais perigosos para o inimigo do que jamais seríamos sem ela.

A minha própria situação demonstra isso. Sofri abuso sexual, mental e emocional por muitos anos em minha infância. Com certeza, foi terrível acontecer algo assim com uma criança e foi definitivamente uma obra de Satanás, mas Deus transformou aquela situação em bem.

O meu caos se transformou na minha mensagem; a minha miséria se converteu no meu ministério, e estou usando a experiência que adquiri com minha dor para ajudar multidões que estão sofrendo. Eu o encorajo a não desperdiçar sua dor. Deus a usará se você a entregar a Ele. Ele me deu beleza em vez de cinzas, como prometeu que faria em Isaías 61:3, mas tive de abrir mão das cinzas. Precisei aprender a ter uma atitude positiva, como José também aprendeu. Foi necessário eu aprender a abrir mão da amargura, do ressentimento e da falta de perdão às pessoas que me feriram.

Se Satanás já o feriu, não deixe que a dor permaneça e não cesse em função de sua atitude negativa. Quando odiamos as pessoas, estamos apenas ferindo a nós mesmos cada vez mais. Em geral, aqueles com quem estamos irados estão desfrutando suas vidas e não estão nem um pouco preocupados com a maneira como nos sentimos com relação a eles. Lembre-se de que Deus é o seu Vingador, e quando chegar a hora, Ele fará justiça. No fim, os mansos herdarão a terra, e os inimigos de Deus perecerão (Salmos 37).

186

*O Diabo Deseja o Mal, Mas Deus Deseja o Bem*

Vamos ver a história de Ester e do seu povo como outro exemplo de como as obras de Deus transformam o mal em bem.

## O PLANO DE SATANÁS PARA O MAL

Quando Hamã viu que Mardoqueu não se curvava nem se prostrava, ficou muito irado. Contudo, sabendo quem era o povo de Mardoqueu, achou que não bastava matá-lo. Em vez disso, Hamã procurou uma forma de exterminar todos os judeus, o povo de Mardoqueu, em todo o império de Xerxes.

*Ester 3:5-6*

Se você estiver familiarizado com essa história, deve se lembrar de que Ester, a prima e filha adotiva de um judeu chamado Mardoqueu, havia sido escolhida pelo rei Xerxes para ser elevada à posição de rainha do seu reino. Ela foi levada para o harém do rei como uma jovem virgem, e estou certa de que esse não era o plano que ela tinha para sua vida. Aquela situação a assustava, e estou segura de que lhe parecia ruim naquele momento. Ester ficou ali por algum tempo, sendo preparada para comparecer diante do Rei. Quando chegou a hora, Deus lhe concedeu favor aos olhos dele, e ela foi escolhida para ser rainha. Mal sabia ela que Deus a estava colocando em uma posição que lhe permitiria salvar a nação.

Muitas vezes temos um plano em mente para as nossas vidas, mas algo acontece para interromper o nosso plano. Resistimos e não ficamos felizes com a mudança, mas por mais que façamos, essa nova situação parece ser a vontade de Deus para nós. Não podemos imaginar como aquilo poderia cooperar *para o nosso bem*, mas Deus tem um plano em mente que é muito melhor do que o nosso.

Nesta situação, a Bíblia nos diz que Ester teve medo e não queria ser colocada na posição em que estava. Entretanto, Mardo-

*Capítulo 18*

queu lhe disse que ela havia sido chamada para o reino para aquele exato momento. Em outras palavras, aquele era o seu destino. Ele também lhe disse que se não fizesse o que Deus estava lhe pedindo para fazer, ela pereceria juntamente com todos os demais. Ela concordou em fazer o que precisasse ser feito.

Mardoqueu era um serviçal na corte do rei e tinha um inimigo chamado Hamã, o mais alto oficial do rei. Pelo fato de Mardoqueu se recusar a se curvar diante dele, Hamã ficou irado e maquinou um plano para destruir não apenas Mardoqueu, como também todos os judeus juntamente com ele — sem perceber que a Rainha Ester era ela própria uma judia e prima de Mardoqueu (Ester 2:5-23; 3:1-9).

Na Bíblia existem alguns personagens que são representativos, como símbolos e figuras dos inimigos do Senhor. Um deles é o mau Hamã, que representa o próprio diabo. Hamã tinha um plano para a destruição do povo de Deus, os judeus, assim como Satanás tem um plano para a nossa destruição, porque somos o povo de Deus.

Quando Mardoqueu soube do plano maligno de Hamã, ele o contou à rainha Ester, que convidou o rei e Hamã para um jantar íntimo no qual ela esperava expor o plano de Hamã para o rei.

Em Ester 5:11-13, lemos o que aconteceu quando Hamã chegou em casa e encontrou sua família e amigos depois de ser promovido pelo rei e de ter recebido permissão e poder para destruir todos os judeus do reino.

> Hamã vangloriou-se de sua grande riqueza, de seus muitos filhos e de como o rei o havia honrado e promovido acima de todos os outros nobres e oficiais. E acrescentou Hamã: Além disso, sou o único que a rainha Ester convidou para acompanhar o rei ao banquete que ela lhe ofereceu. Ela me convidou para comparecer amanhã, com o rei.

*O Diabo Deseja o Mal, Mas Deus Deseja o Bem*

Mas tudo isso não me dará satisfação, enquanto eu vir aquele judeu Mardoqueu sentado junto à porta do palácio real.

*Ester 5:11-13*

Mardoqueu era um homem de Deus maravilhoso, que um dia havia salvado o rei de um estratagema armado contra ele por dois de seus eunucos, um feito que havia sido registrado no Livro de Crônicas na presença do rei, mas pelo qual Mardoqueu nunca havia sido recompensado.

Mardoqueu era um homem chamado e ungido por Deus para ser usado para trazer libertação ao povo de Deus, assim como você e eu fomos chamados e ungidos por Deus para trazer libertação e ajuda a outros nos nossos dias.

Como vimos, Hamã representa Satanás. Assim como Hamã tinha um plano para a destruição de Mardoqueu e dos judeus, Satanás também tem um plano para a nossa destruição.

Em Ester 5:14, vemos o plano que Hamã maquinou para destruir Mardoqueu:

Então Zeres, sua mulher, e todos os seus amigos lhe sugeriram: "Mande fazer uma forca, de mais de vinte metros de altura, e logo pela manhã peça ao rei que Mardoqueu seja enforcado nela. Assim você poderá acompanhar o rei ao jantar e alegrar-se." A sugestão agradou Hamã, e ele mandou fazer a forca.

*Ester 5:14*

Além de planejar a morte de Mardoqueu, com a permissão do rei, Hamã já havia expedido uma ordem que havia sido proclamada por todo o reino de que em um determinado dia todos os judeus deveriam ser mortos e os seus bens tomados deles.

*Capítulo 18*

Assim Hamã havia tramado um plano para a completa destruição do povo de Deus, um plano que aparentemente não podia ser alterado porque havia sido executado a partir de um decreto e sob a autoridade do nome do rei.

"Mas Deus..." tinha um plano diferente, e Ele começou a colocá-lo em ação.

## O PLANO DE DEUS PARA O BEM

Naquela noite o rei não conseguiu dormir; por isso ordenou que trouxessem o livro das crônicas do seu reinado, e que o lessem para ele. E foi lido o registro de que Mardoqueu tinha denunciado Bigtã e Teres, dois dos oficiais do rei que guardavam a entrada do Palácio e que haviam conspirado para assassinar o rei Xerxes.

"Que honra e reconhecimento Mardoqueu recebeu por isso?" Perguntou o rei. Seus oficiais responderam: "Nada lhe foi feito."

*Ester 6:1-3*

Gostaria de compartilhar uma verdade com você. Sejam quais forem as coisas boas que você e eu façamos, mesmo em segredo, Deus as tem gravado. Ele não vai se esquecer delas. O dia virá em que as nossas boas obras serão trazidas à luz.

Cada oração feita por nós, todas as vezes que nos submetemos à autoridade quando gostaríamos de nos rebelar contra ela, os momentos em que confessamos a Palavra de Deus quando todas as nossas emoções estavam clamando para que disséssemos coisas negativas — cada ato de obediência está registrado e será recompensado. Todas as vezes que tomamos nossa posição de fé, adoração e mantivemos uma boa confissão, todas as vezes que oferecemos sacrifício de louvor, Deus se lembra disso. Ele não se esquece das

*O Diabo Deseja o Mal, Mas Deus Deseja o Bem*

nossas atitudes corretas. Ele as tem registradas no Seu livro de atos memoráveis, como lemos em Hebreus 6:10: "Deus não é injusto; ele não se esquecerá do trabalho de vocês e do amor que demonstraram por ele, pois ajudaram os santos e continuam a ajudá-los."

Mardoqueu havia realizado alguns atos de bondade, mas não estava dando muita atenção a isso. Ele simplesmente os havia realizado em segredo, para o Senhor. A Palavra nos ensina a não deixarmos que nossa mão direita saiba o que nossa mão esquerda está fazendo no que se refere a boas obras. O que isto significa? Significa fazer o que sentimos que Deus está nos dirigindo a fazer — fazê-lo para a Sua glória, e depois esquecer isso e seguir em frente com os nossos afazeres. Significa não ficar nos dando tapinhas nas costas nem dizendo aos outros o que fizemos, mas simplesmente saber que nossa recompensa virá de Deus quando chegar a hora certa.

> O rei perguntou: "Quem está no pátio?" Ora, Hamã havia acabado de entrar no pátio externo do palácio para pedir ao rei o enforcamento de Mardoqueu na forca que ele lhe havia preparado.
>
> *Ester 6:4*

Agora vemos a história chegando aos seus últimos momentos. Vemos como o diabo, representado aqui por Hamã, está colocando em prática o seu plano, e também vemos como Deus está colocando o Seu plano em prática.

## OS DOIS PLANOS ENTRAM EM CONFLITO

> Os oficiais do rei responderam: "É Hamã que está no pátio". "Façam-no entrar", ordenou o rei. Entrando Hamã, o rei lhe perguntou: "O que se deve fazer ao ho-

*Capítulo 18*

mem que o rei tem o prazer de honrar?" E Hamã pensou consigo: "A quem o rei teria prazer de honrar, senão a mim?"

*Ester 6:5- 6*

Pelo fato de Hamã ser tão cheio de orgulho, não podia imaginar que o rei desejaria honrar outro homem além dele. Então, ele pensou: "Estou para ser realmente abençoado, portanto preciso pensar em algo realmente bom."

Por isso respondeu ao rei: Ao homem que o rei tem prazer de honrar, ordena que tragam um manto do próprio rei e um cavalo que o rei montou, e que ele leve o brasão do rei na cabeça. Em seguida, sejam o manto e o cavalo confiados a alguns dos príncipes mais nobres do rei, e ponham eles o manto sobre o homem que o rei deseja honrar e o conduzam sobre o cavalo pelas ruas da cidade, proclamando diante dele: "Isto é o que se faz ao homem que o rei tem o prazer de honrar!"

*Ester 6:7-9*

Agora veja o que acontece quando o plano de Satanás e o plano de Deus entram em conflito.

O rei ordenou então a Hamã: "Vá depressa apanhar o manto e o cavalo, e faça ao judeu Mardoqueu o que você sugeriu. Ele está sentado junto à porta do palácio real. Não omita nada do que você recomendou."

*Ester 6:10*

O que o rei, que representa o Senhor nessa história, estava dizendo a Hamã era: "Todas as bênçãos que você planejou para

*O Diabo Deseja o Mal, Mas Deus Deseja o Bem*

si mesmo, agora você vai conferir a Mardoqueu. Você vai observar enquanto eu o abençoo." Quando Deus decide abençoar alguém, nenhuma pessoa na terra nem diabo algum poderão paralisá-lo.

Se Deus é por nós, quem pode ser contra nós? Se Deus está do nosso lado, o que o homem pode nos fazer?

Ah, posso lhe garantir que Satanás tem alguns planos malignos em mente para cada um de nós. Ele tem um plano para a nossa total destruição, assim como Hamã tinha para Mardoqueu e os judeus. Mas Deus também tem um plano para cada um de nós, e o plano de Deus não será frustrado.

## O PLANO DE DEUS NÃO PODE SER FRUSTRADO

> Então Hamã apanhou o cavalo, vestiu Mardoqueu com o manto e o conduziu sobre o cavalo pelas ruas da cidade, proclamando à frente dele: "Isto é o que se faz ao homem que o rei tem o prazer de honrar!"
>
> Depois disso, Mardoqueu voltou para a porta do palácio real. Hamã, porém, correu para casa com o rosto coberto, muito aborrecido...
>
> *Ester 6:11-12*

Mas este não é o fim da história. O Senhor não apenas virou a mesa para Hamã a ponto de ele precisar dar a Mardoqueu a honra que havia planejado para si mesmo; Ele também voltou contra Hamã o plano maligno que ele havia projetado contra Mardoqueu.

Quando Hamã foi ao jantar que a Rainha Ester ofereceu para ele e o rei, ela revelou o plano maligno dele de matá-la e de matar o seu povo. O resultado foi que o rei mandou enforcar Hamã na mesma forca que ele havia construído para Mardoqueu. Ester havia adorado a Deus por sua obediência e disposição em permanecer

## Capítulo 18

em uma situação que para ela era desagradável. Ela estava disposta a pôr de lado o seu plano e aceitar o plano de Deus, embora não o entendesse por algum tempo. Cada ato de obediência é um tipo de adoração que Deus não ignora.

Assim como os inimigos de Josafá e os inimigos de Gideão acabaram sendo mortos, o plano de Hamã saiu pela culatra. Ele teve o que estava tentando dar a Mardoqueu e aos judeus.

> Naquele mesmo dia, o rei Xerxes deu à rainha Ester todos os bens de Hamã, o inimigo dos judeus. E Mardoqueu foi trazido à presença do rei, pois Ester lhe dissera que ele era seu parente.
> O rei tirou seu anel-selo, que havia tomado de Hamã, e o deu a Mardoqueu; e Ester o nomeou administrador dos bens de Hamã.
>
> *Ester 8:1-2*

Então Mardoqueu acabou ficando com a casa de Hamã, que havia sido dada a Ester pelo rei. O rei também deu permissão e autoridade à Rainha Ester e a Mardoqueu para expedirem outro decreto e enviarem uma carta em seu nome a todo o reino para permitir que os judeus se defendessem das ordens que Hamã havia dado de que os judeus fossem mortos e os seus bens fossem tirados deles.

Quando mantemos os nossos olhos em Deus, ficamos firmes na fé, continuamos a adorar e mantemos uma boa confissão, sempre veremos o plano do diabo para o mal em nossas vidas cooperar para o nosso bem para a ruína dele.

> O decreto do rei concedia aos judeus de cada cidade o direito de se reunirem e de se protegerem, de destruir, matar e aniquilar qualquer força armada de qualquer povo ou província que os ameaçasse, a eles, suas mulheres e seus filhos, e o direito de saquear os bens dos seus inimigos.

*O Diabo Deseja o Mal, Mas Deus Deseja o Bem*

Para os judeus foi uma ocasião de felicidade, alegria, júbilo e honra. Em cada província e em cada cidade, onde quer que chegasse o decreto do rei, havia alegria e júbilo entre os judeus, com banquetes e festas. Muitos que pertenciam a outros povos do reino tornaram-se judeus, porque o temor dos judeus tinha se apoderado deles.

*Ester 8:11,16,17*

Quando tudo terminou, os judeus foram honrados e abençoados, a rainha Ester passou a ser ainda mais admirada e respeitada pelo rei, e Mardoqueu foi elevado ao posto de segundo homem no comando depois do próprio rei.

Observe que eu escrevi: "Quando tudo terminou." Seja o que for que estiver acontecendo em sua vida agora e que possa ser difícil para você, isso acabará chegando ao fim — essa situação também passará! Eu o encorajo a olhar para além da dor e ver a alegria de obter o prêmio.

O judeu Mardoqueu foi o segundo na hierarquia, depois do rei Xerxes. Era homem importante entre os judeus e foi muito amado por eles, pois trabalhou para o bem do seu povo e promoveu o bem-estar de todos.

*Ester 10:3*

Por mais que eu acredite em tudo que ensinei, creio que esta é uma palavra atual para as nossas vidas, uma palavra da qual precisamos neste instante.

Tome sua posição. Não desista. Fique firme. Entre no descanso de Deus. Veja a salvação do Senhor. Pare de se preocupar e de tentar entender tudo que está se passando em sua vida. Quando a tentação vier, tome sua posição e veja a salvação do Senhor, aquela que Ele planejou para você. A batalha não é sua; *a batalha pertence ao Senhor*.

# Conclusão

**Creio que este** é um novo dia para você e que você começará a lidar com suas provações de uma maneira completamente diferente como resultado da leitura deste livro. Você agora está em posição de desfrutar mais sua vida e de usufruir de sua caminhada com Deus mais do que nunca. O alto chamado de cada crente é a satisfação de Deus. Ele nos criou para o Seu contentamento, para termos comunhão com Ele.

Se estivermos preocupados, não estamos tendo comunhão. Lembro-me de uma manhã em que eu me sentei na cadeira onde costumava orar. Comecei a me preocupar com alguma situação pela qual estava passando naquele momento, e a refletir sobre o que devia fazer a respeito. De repente, ouvi aquela voz mansa e suave dentro do meu espírito dizendo: "Joyce, você vai ter comunhão com o seu problema ou comigo?" Deus estava disposto a lidar com o meu problema se eu estivesse disposta a esquecê-lo e a passar o meu tempo com Ele. Lembre-se de adorar, e não de se preocupar.

Mesmo quando você se deparar com tentações em sua vida, você será fortalecido para resistir a elas adorando a Deus.

Profetizo que você começará a progredir rapidamente, tanto que ficará impressionado. Creio que sua vida será mais fácil deste ponto em diante. Não quero dizer que você nunca passará por provações e testes, mas à medida que adorar a Deus, você descobrirá

*Conclusão*

o que chamo de "calma santa" se manifestando em sua vida. Os adoradores descobrem que tudo fica mais fácil. O fardo é retirado enquanto o adoramos, e ficamos livres para desfrutar do lugar onde estamos enquanto estamos a caminho do lugar para onde vamos.

Oh, adore e engrandeça o Senhor comigo — porque se Deus é por nós, quem pode ser contra nós?

# Oração por um Relacionamento Pessoal com o Senhor

Deus quer que você receba o Seu dom gratuito da salvação. Jesus quer salvá-lo e enchê-lo com o Espírito Santo mais do que qualquer coisa. Se você nunca convidou Jesus, o Príncipe da Paz, para ser o seu Senhor e Salvador, eu o convido a fazer isso agora. Faça a seguinte oração, e se você realmente for sincero, experimentará uma nova vida em Cristo.

*Pai,*

*Tu amaste tanto o mundo, que deste o Teu único Filho para morrer pelos nossos pecados para que todo aquele que crê nele não pereça, mas tenha vida eterna.*

*A Tua Palavra diz que somos salvos pela graça mediante a fé como um dom de Ti. Não há nada que possamos fazer para ganhar a salvação.*

*Creio e confesso com a minha boca que Jesus Cristo é o Teu Filho, o Salvador do mundo. Creio que Ele morreu na cruz por mim e levou todos os meus pecados, pagando o preço por eles. Creio em meu coração que Tu ressuscitaste Jesus dentre os mortos.*

*Eu Te peço que perdoes os meus pecados. Confesso Jesus como meu Senhor. De acordo com a Tua Palavra, sou salvo e passarei a eternidade contigo! Obrigado, Pai, sou tão grato a Ti! Em nome de Jesus, amém.*

Ver João 3:16, Efésios 2:8-9; Romanos 10:9-10; I Coríntios 15:3-4; I João 1:9; 4:14-16; 5:1,12-13.

# NOTAS

Capítulo 3

1. W.E., Vine's Complete Expository Dictionary of Old and New Testament Words (Nashville, Thomas Nelson Inc., 1984). "Nelson's Expository Dictionary of the Old Testament", págs. 184, 185 s.v. "LOUVAR". "B. Substantivos".

2. Vine, "An Expository Dictionary of New Testament Words", pág. 479, s.v. "LOUVOR", "A. Substantivos". "1".

3. Vine, Novo Testamento, pág. 479, s.v. "LOUVOR", "A. Substantivos". "2".

4. Vine, Antigo Testamento, pág. 295, s.v. "ADORAR".

5. Vine, Novo Testamento, pág. 686, s.v. "ADORAÇÃO (Verbo e Substantivo). ADORANDO" "a. Verbos". "1".

6. Vine, Novo Testamento, pág. 686, "5" "Notas" "(2) Atos 17:25.

7. Vine, pág. 686, "(1)".

8. "In the Garden", letra e música de C. Austin Miles, 1912, copyright © 1912 por Hall-Mack Co. © renovação de direitos autorais 1940 (prorrogada). The Rodeheaver Co. Todos os direitos reservados. Uso mediante permissão do Hinário Batista © 1975 CONVENTION PRESS, Church and Materials Division, Nashville, Tennessee.

*Notas*

## Capítulo 11

1. Definição baseada no Novo Testamento de Vine, pág. 639, s.v. 'TRANSFIGURAR", "TRANSFORMAR".

## Capítulo 12

1. MERRIAM-WEBSTER ONLINE:/WWWebster Dictionary 2002 http://www.m-w.com s.v. "contemplar".

2. American Dictionary of the English Language, 10a Edição (San Francisco: Foundation for American Christian Education, 1998). Fac-símile da edição de 1828 de Noah Webster, copyright 1967 & 1995 (Renovação) por Rosalie J. Slater, s.v. "CONTEMPLAR".

3. Norvel Hayes, *Worship – Unleashing the Supernatural Power of God in Your Life*, (Tulsa, Harrison House 1993), págs. 47-53.

## Capítulo 16

1. Rick Renner.

## Sobre a Autora

Joyce Meyer é uma das líderes no ensino prático da Bíblia no mundo. Renomada autora de *best-sellers* pelo *New York Times*, seus livros ajudaram milhões de pessoas a encontrarem esperança e restauração através de Jesus Cristo.

Através dos *Ministérios Joyce Meyer*, ela ensina sobre centenas de assuntos, é autora de mais de 80 livros e realiza aproximadamente quinze conferências por ano. Até hoje, mais de doze milhões de seus livros foram distribuídos mundialmente, e em 2007 mais de três milhões de cópias foram vendidas. Joyce também tem um programa de TV e de rádio, *Desfrutando a Vida Diária®*, o qual é transmitido mundialmente para uma audiência potencial de três bilhões de pessoas. Acesse seus programas a qualquer hora no site www.joycemeyer.com.br

Após ter sofrido abuso sexual quando criança e a dor de um primeiro casamento emocionalmente abusivo, Joyce descobriu a liberdade de viver vitoriosamente aplicando a Palavra de Deus à sua vida, e deseja ajudar outras pessoas a fazerem o mesmo. Desde sua batalha contra um câncer no seio até as lutas da vida diária, Joyce Meyer fala de forma aberta e prática sobre sua experiência, para que outros possam aplicar o que ela aprendeu às suas vidas.

Ao longo dos anos, Deus tem dado a Joyce muitas oportunidades de compartilhar seu testemunho e a mensagem de mudança de vida do Evangelho. De fato, a revista *Time* a selecionou como uma das mais influentes líderes evangélicas dos Estados Unidos. Sua vida é um incrível testemunho do dinâmico e restaurador trabalho de Jesus Cristo. Ela crê e ensina que, independente do passado da pessoa ou dos erros cometidos, Deus tem um lugar para ela, e pode ajudá-la em seus caminhos para desfrutar a vida diária.

Joyce tem um merecido PhD em teologia pela Universidade Life Christian em Tampa, Flórida; um honorário doutorado em divindade pela Universidade Oral Roberts em Tulsa, Oklahoma; e um honorário doutorado em teologia sacra pela Universidade Grand Canyon em Phoenix, Arizona. Joyce e seu marido, Dave, são casados há mais de quarenta anos e são pais de quatro filhos adultos. Dave e Joyce Meyer vivem atualmente em St. Louis, Missouri.